WILLIAM SANCHES

EM MIM
BASTA!

O PODER DE **PULAR FORA**
QUANDO NADA MAIS FAZ SENTIDO

Em mim basta!

Copyright © 2022 by William Sanches

8ª edição: Maio 2025

Direitos reservados desta edição: Citadel Editorial SA

O conteúdo desta obra é de total responsabilidade do autor
e não reflete necessariamente a opinião da editora.

Autor:
William Sanches

Preparação de texto:
3GB Consulting

Revisão:
Gabriel Patez

Projeto gráfico e capa:
Claudio Szeibel

Impressão:
Plena Print

DADOS INTERNACIONAIS DE CATALOGAÇÃO NA PUBLICAÇÃO (CIP)

Sanches, William
    Em mim basta!: o poder de pular fora quando nada mais faz sentido / William Sanches. — Porto Alegre : Citadel, 2022.
    256 p. : color.

ISBN 978-65-5047-141-5

1. Desenvolvimento pessoal 2. Sucesso 3. Mudança de comportamento I. Título

22-2822   CDD 158.1

Angélica Ilacqua - Bibliotecária - CRB-8/7057

Produção editorial e distribuição:

contato@citadel.com.br
www.citadel.com.br

WILLIAM SANCHES

EM MIM
BASTA!

O PODER DE **PULAR FORA** QUANDO NADA MAIS FAZ SENTIDO

2022

Ao meu amor,
Márcio Rodrigo dos Reis.
Seu sorriso para mim é basta de tristeza
e força para continuar, sempre!

INTRODUÇÃO

Tudo é apenas possibilidade até que você se torne consciente. Algo só existe quando você o toca com os olhos e aquilo passa a existir.

Quando cheguei em São Paulo, em 2000, me questionava muito sobre o porquê de algumas pessoas viverem em prosperidade e abundância plena e outras viverem em tamanha escassez, às vezes na mesma cidade, na mesma empresa e até na mesma família.

Em vez de desenvolver uma revolta, desenvolvi um questionamento. Vejo hoje que isso é a escolha que me fez crescer tanto e talvez estar aqui escrevendo este livro a você com todo o meu amor.

Se eu tivesse desenvolvido a raiva, a mágoa, me agarrado à rejeição ou à "falta de oportunidade", não teria crescido tanto. Digo "crescido tanto" porque um cara chegar a São Paulo, a uma grande capital, apenas com sua cama de solteiro em um apartamento minúsculo alugado na periferia, e hoje ser milionário (falo isso para incentivá-lo – falaremos mais sobre isso no livro), para mim isso é crescer tanto. E esse crescer é para você também!

Decididamente, não importa onde esteja agora nem quantos anos tenha. Você pode mudar sua realidade. Ela é toda transformável.

Neste livro vou ajudá-lo nisso. Nem sempre passando a mão na sua cabeça, nem sempre lhe dando broncas quânticas, como costumo dizer em minhas aulas. Mas este é um livro de BASTA!

Quem tem dor tem pressa!

Ficar sentado na almofada do conforto é gostoso, mas a dor é silenciosa e chega de verdade.

Dói não poder viajar para o país que se sonha.

Dói não andar no carro que você deseja e sempre vê passando na rua.

Dói ver quem você ama adoecer e depender de um serviço público para receber atendimento.

Dói sair e entrar de novo em um relacionamento tóxico, em um emprego tóxico, em uma amizade tóxica...

O BASTA aqui é para que você não aceite mais qualquer coisa, porque, toda vez que vem qualquer coisa para sua vida, é porque você aceitou.

Reclamar? A essa altura do campeonato? Basta! Ninguém mais aguenta ouvir reclamação de que isso é ruim, aqui ninguém apoia ninguém, que sua família lhe deu as costas ou que seu companheiro o proíbe de algo. Este livro é para quem quer romper correntes, pular barreiras, saltar longe, subir degraus. Não é só para quem quer virar a página na vida, é para quem quer ler novos livros.

Talvez seja o livro mais forte que eu tenha escrito até agora. Porque nele não escolho as palavras, eu abro meu coração para falar com o seu sem medo de melindres, até porque quem tem melindre não prospera. Então, este livro nem é para você, se você carrega esse mimimi chato.

Comece, então, dando um basta nas desculpas que você sempre usa. Comece tirando as máscaras que você veste para mostrar aos outros e pare de repetir o slogan que usa sempre.

Eu tinha um amigo que sempre dizia "a vida é dura". Esse era o slogan dele. Aonde ia ou com quem falava, sempre repetia o slogan "a vida é dura". Já presenciei situações em que ele puxava sempre o assunto com essa frase.

E a vida dele sempre foi mesmo muito difícil, nada fluía para ele, nenhum emprego dava certo, e, quando quis se arriscar como empreendedor, perdeu ainda o que não tinha. Enterrou-se em empréstimos e mais empréstimos. E, como via sempre a realidade dele assim, afirmava com mais convicção e ainda batia no peito: "Viram como a vida é dura?".

Ele acreditava, replicava, criava essa realidade, e mais disso vinha para ele. Como mais disso ele via, mais tinha certeza de que estava certo. Viveu em um grande redemoinho de negatividades e fracassos. E, por mais que falássemos, e não era só eu que tentava ajudá-lo a mudar esse padrão mental de escassez, ele sempre dizia: "Vocês têm sorte, por isso as coisas dão certo para vocês, eu não nasci com sorte".

Seu slogan o colocava cada vez mais para baixo. Era uma verdadeira espiral para o bueiro.

Para cada argumento que usávamos, ele tinha um reforço ainda mais negativo. Esse amigo morreu no ostracismo, morando em um cômodo no fundo do quintal de conhecidos que cederam a ele o espaço. Em completa pobreza. Encerrou seu ciclo na terra dizendo "a vida é dura!".

De onde veio tamanha ideia forte? Quem um dia instalou isso em sua cabeça? Claro que ele não nasceu assim, ele recebeu essa informação!

Não estou aqui procurando culpados como quem pendura um cartaz no poste escrito PROCURADO. Nada disso!

É para que possamos pensar. Um dia essa informação chegou a ele. Assim como ele também deve ter ouvido que é preciso suar para conseguir alguma coisa, que é preciso ganhar a vida com o suor do rosto, que aqui se sofre, mas depois a vida é de paraíso.

Milhares de mentes brilhantes deixam de criar todos os dias porque disseram a elas "você é burro".

Milhares de corações cheios de amor para dar e compartilhar deixam de acreditar em um relacionamento porque um dia ouviram "homem nenhum presta, mulher é tudo interesseira, cuidado!".

Milhares de Mentes Milionárias deixam de ser o que vieram para ser porque um dia ouviram que "ter carteira assinada e se aposentar no fim da vida é o que vale a pena". Conheci muitos que ainda afirmavam: "Não vou abrir nenhum negócio porque sócio sempre rouba a gente".

Certa vez abri a porta do meu consultório, onde atendia como terapeuta, e, ao cumprimentar a senhora que chegava, perguntei se ela estava bem; então, levantando os olhos para mim como quem iria me fulminar, ela me respondeu com muita convicção: "Para mim, nunca nada está bem; para mim, tudo sempre dá errado".

Em um estacionamento, ouvi recentemente uma mulher ao telefone que dizia: "Nada é tão ruim que não possa piorar!".

Por que essas pessoas carregam essas ideias absolutas com tanta certeza?

A vida delas é pautada da forma como acreditam que será. E, por incrível que pareça, sempre é assim.

Se acredito, vejo; se vejo, acredito mais ainda. E esse ciclo negativo precisa ter um BASTA!

É preciso bater no peito e saber que não importa de onde veio, nem quem instalou essa crença em mim. Há um momento na vida em que é preciso dizer **EM MIM BASTA!**

A ideia que não me traz nada de novo é uma roupa velha e apertada que não me serve mais. É um mapa que não me leva mais a nenhum caminho que me interessa.

Lembra que eu disse que tudo é apenas possibilidade até que você se torne consciente? Este livro vai lhe tornar consciente de muitas coisas. Um grande movimento vai acontecer em você. Não sinta vergonha se em algum momento sentir vontade de gritar **EM MIM BASTA!** Isso tem poder curativo. É terapêutico, limpa, ressignifica, revigora, reinstala.

Seja o fósforo que teve a coragem de se retirar.

Sabe quando a mãe, como resposta ao filho teimoso que argumenta "mas todo mundo foi", diz **"você não é todo mundo"**? Ela tem razão!

Você não é todo mundo! Pare de ser!

William Sanches

SUMÁRIO

CAPÍTULO 1 — 15
O peixe sem cabeça

CAPÍTULO 2 — 21
Desfazendo o nó

CAPÍTULO 3 — 27
Quem está falando aqui?

CAPÍTULO 4 — 33
A máquina de criar crenças

CAPÍTULO 5 — 39
"Não posso ser feliz"

CAPÍTULO 6 — 45
Dinheiro não dá em árvore

CAPÍTULO 7 — 51
A dinâmica familiar

CAPÍTULO 8 — 57
Derrubando crenças

CAPÍTULO 9 — 65
Felicidade atrai felicidade

CAPÍTULO 10 — 73
O prato quebrado

CAPÍTULO 11 — 79
Cortar as pessoas da minha vida significa que me respeito

CAPÍTULO 12 — 85
"Já vi esse filme"

CAPÍTULO 13 — 91
Crenças boas x Crenças limitantes

CAPÍTULO 14 — 95
O antídoto para cada crença

103	**CAPÍTULO 15** Saindo do lugar
109	**CAPÍTULO 16** O ninho
115	**CAPÍTULO 17** Abrindo novos ciclos
121	**CAPÍTULO 18** O medo de ser feliz
129	**CAPÍTULO 19** Eu só queria ser visto
135	**CAPÍTULO 20** O que eu quero de verdade?
141	**CAPÍTULO 21** Dê um basta nos memes
147	**CAPÍTULO 22** O processo de individuação do ser humano
153	**CAPÍTULO 23** Permita-se ser você
161	**CAPÍTULO 24** Muito prazer!
167	**CAPÍTULO 25** As dores do parto
173	**CAPÍTULO 26** Emoções e sentimentos
181	**CAPÍTULO 27** Uma companhia indesejada
187	**CAPÍTULO 28** O medo que o consome

CAPÍTULO 29 — 191
Paralisar ou caminhar

CAPÍTULO 30 — 199
Desapegar para crescer

CAPÍTULO 31 — 205
Aquele basta bem dado

CAPÍTULO 32 — 211
Qual será a chave?

CAPÍTULO 33 — 217
Agradecer para ter

CAPÍTULO 34 — 223
Sentir bem a sua companhia

CAPÍTULO 35 — 229
Bem antes da ocupação

CAPÍTULO 36 — 235
Alimente sua mente

CAPÍTULO 37 — 241
Em mim basta!

Capítulo 1

O peixe SEM cabeça

> "A marca de um verdadeiro campeão é a consistência."
> - Tony Robbins

Aos 29 anos tive um infarto. Meu corpo dizia "basta" para uma situação para a qual eu não sabia dizer "pare!". Trabalhava incansavelmente, e, sem perceber, havia um padrão dentro de mim que me impedia de descansar. Sempre que eu me sentava no sofá, uma voz interior dizia que eu poderia estar fazendo algo, sendo produtivo. Mesmo sendo domingo e eu tendo cumprido todas as metas da semana. Aquela voz tinha sido instalada fazia muito tempo. E talvez você nem saiba, mas essa voz está dentro de você impedindo seu crescimento e suas realizações.

O nome dessas vozes são "crenças hereditárias". A crença hereditária que não me permitia descansar era aquela que dizia que "só vagabundo descansa". São frases que vão sendo cuspidas na gente desde que somos criancinhas, e que vamos assimilando ao longo da vida até que se tornem hábitos. Sabe aquela história do "um pensamento se torna uma palavra, uma palavra se torna um hábito, e um hábito se torna um destino"? Exatamente isso.

Não sei se já ouviu a historinha daquela mulher que se casou e o marido comprou um peixe para ela assar. Ela arrancou a cabeça do peixe e o assou no forno. O marido perguntou por que não tinha assado o peixe todo, e ela disse que sua mãe lhe havia ensinado assim. Foi, então, perguntar o porquê para a mãe, que disse, por sua vez, que sua mãe tinha ensinado daquela forma. Foram até a avó, que contou que o forno era pequeno e não cabia o peixe todo. Logo, ela cortava a cabeça dele.

A história do peixe ilustra bem nossos comportamentos mecânicos diários. Não sabemos por qual motivo fazemos aquilo que fazemos, mas vamos repetindo padrões de comportamento porque aquilo nos foi dito ou transmitido de alguma forma.

As crenças hereditárias geralmente são as responsáveis por nos fazer acreditar que "dinheiro não dá em árvore" ou que "a vida não é fácil". E destruí-las é vital para que possamos crescer. Na minha vida, dei um basta em várias coisas. Cresci num ambiente de escassez. Nunca passei fome, mas não tinha dinheiro para tudo. Desde pequeno ia de São Roque a Itapevi para fazer feira. Morávamos no fundo da casa da minha avó e trabalhávamos na feira, e eu dizia para meu pai que iria fazer faculdade. Mas ele respondia que pobre não estuda. Eu batia o pé, afirmava que iria estudar. Queria ter uma profissão, e não trabalhar na feira vendendo peixe. Mas essa era a visão de mundo dele. Só que eu nunca quis agradá-lo. Dizia que não iria fazer feira, e ele tentava me convencer com as crenças dele. Embora ninguém da família tivesse estudado, eu queria estudar. Tornei-me o primeiro milionário da família quando dei esse basta. Quando me mudei para São Paulo, foi difícil, para ele, aceitar. Cortar o cordão é muito difícil. O medo de desagradar é grande, e a ele se juntam o medo do desconhecido e o medo de não dar certo. O medo do dedo na cara de quem vai lhe dizer "não falei?".

Essas crenças hereditárias são correntes que precisamos arrebentar. Muitas vezes, são crenças relacionadas a relacionamento, dinheiro, saúde. Dei um basta em várias questões. Ser quem somos é um desafio diário. E quando algo não dá certo, ouvimos que "Deus quis assim", para que sejamos pobres conformados com o que não deu certo. "Em mim basta!" é o que vai interromper esse ciclo de crenças hereditárias que nos fazem crer em absurdos. Por que Deus iria querer uns ricos e outros pobres? Quebrei várias crenças: da espiritualidade, da religião, do dinheiro. Até que ponto temos a vida que temos porque acreditamos em coisas sem fundamento?

Quando vim morar em São Paulo, estudei com um mentor que estudava prosperidade. Eu queria entender por qual razão algumas pessoas eram prósperas e outras não. E, ao chegar em sua primeira palestra, ele disse: "Você está exatamente onde se coloca". Isso foi muito forte para mim, porque comecei a refletir sobre as pessoas ao meu redor. Todas estavam exatamente onde tinham se colocado. Tudo que eu imaginava, acreditava e pensava na época era "estou assim ou porque Deus castiga, ou porque Deus quer, ou porque Ele tem um plano maior para minha vida". Mas eu não queria um plano para depois. Queria para aquele momento. Questionador, eu contestava tudo. Não aceitava as respostas prontas. Então, percebi muitas crenças que eu tinha. Se as coisas estavam boas, eu pensava "um dia de felicidade, um dia de tristeza", e nem sabia quem na minha família tinha plantado aquilo em mim. Comecei a perceber que estava sempre preocupado com o "vai faltar". Claro, eu já criava a falta. Na minha vida, quebrei duas vezes, porque, quando estava tudo bem, eu dava um jeito de destruir tudo, para reconstruir depois. Quando aprendi isso, dei um "em mim basta". Não precisava mais quebrar para reconstruir e mostrar que era forte. Em determinada época, cheguei a morar no quarto de hóspedes da casa da minha mãe. Precisei ser resgatado de mim mesmo. E superei as dificuldades mais uma vez.

Dar um "em mim basta" é interromper um ciclo. É recomeçar e ter um pensamento diferente quando todo mundo repete a mesma coisa para você. Quando era criança, depois da exaustão de ter chegado da feira e trabalhado desde a madrugada, eu me deitava no sofá, e então meu pai dizia: "Levanta daí, vamos trabalhar". Não era permitido ficar sem fazer nada. Eu precisava sempre arrumar alguma coisa para fazer. Quando estava sem fazer nada em casa, sempre tinha a sensação de que era um vagabundo. Mesmo depois de ter conseguido a independência financeira. Eu não podia ficar parado. Precisei fazer um "em mim basta".

Se estou quieto sem fazer nada, minha mente vaga e me diz que preciso escrever ou fazer algo. Como se aquelas vozes morassem dentro de mim. Descondicionar isso é uma história diária. Há alguns anos, me percebi sufocado e entendi que eu estava me sufocando. Não me distraía, só sabia trabalhar. E precisava fazer o "em mim basta!".

Precisamos saber o que estamos repetindo e por qual razão. Temos tantas crenças hereditárias que nem sabemos de onde vêm.

Tenho uma amiga que sempre dizia que precisava arranjar "um homem bom para casar-se". Era livre, bem-sucedida, e aquele discurso não combinava com ela, embora o repetisse o tempo todo. Um dia fomos almoçar com sua mãe em um restaurante e, enquanto almoçávamos, a mãe falou: "Você tem que dar uns conselhos para ela parar de ir em boate, para arranjar um homem bom para casar". Quando saímos dali, perguntei a ela se queria casar-se, e ela disse que não. Rebati: "Então por qual motivo fica se cobrando que precisa casar e ter filhos?". Ela entendeu ali que o formato de felicidade da mãe era "marido, esposa e filhos". E ela queria a filha feliz. Mas a forma de felicidade da mãe não era a dela. Dar esse basta nem sempre é fácil, porque muitas vezes você não se sente mais pertencente à família.

Então vem a questão do amor e respeito próprio. Quando percebi que eu era esse fósforo saindo do ciclo, interrompi aquele ciclo dentro de mim e entendi que eu era diferente. Era único, tinha minha alma, meu sentimento. E estava tudo bem. Se essas pessoas não quisessem ficar comigo, estava tudo bem também. Nem sempre, quando nos damos conta disso, continuamos no mesmo ciclo de amizades. Muitas vezes novas portas se abrem e começamos a nos encontrar com pessoas mais alinhadas com o que pensamos. Tem gente que sofre com a interrupção dos ciclos. Seja de trabalho, seja de amigos. E está tudo bem se um ciclo se encerra e não lhe serve mais.

Com o tempo, os outros irão perceber que você é a mesma pessoa que os ama, mas que não serve mais naquela roupa em que eles o colocavam. E isso me lembra um episódio de consultório muito interessante, quando atendi uma moça que entrou na sala com uma mochila, cabelo curto e franja, All Star e cabeça baixa. "Não atendo menor de idade", eu disse a ela. "Quem trouxe você?" Ela respondeu que a mãe a tinha levado, mas que ela não era menor. Tinha 33 anos. Foi um dos casos mais complexos que atendi. A mãe não queria que ela crescesse. Passeava com ela de mãos dadas no shopping e via roupas de criança para ela, impedindo que a menina crescesse, mesmo adulta. A mãe não havia percebido que a filha tinha crescido e precisava voar, e criou uma gaiola para prender a menina. Aos 33 anos, ela não aguentava mais, não tinha amigos, era excluída de todos os lugares. Era a neném, e a voz era de criança. Ela não evoluiu. Era uma criança aos 33 anos de idade. Mas era normal, sem qualquer distúrbio. Sua mãe, contudo, a tratava como criança.

Quando nos preocupamos em **ser o fósforo que sai**, temos que fazer uma escolha: ou seremos o fósforo que continua igual, para se sentir inserido num contexto, ou escolhemos um caminho novo. Essa percepção é vital para sua evolução pessoal.

Outro dia, na fila da farmácia, uma moça disse para outra: "Está caro o remédio, né?". E a outra respondeu: "É, farmácia não tá fácil, né?". Aí, no mercado, outro diz: "O dinheiro não dá pra nada!". Muitas pessoas vivem diariamente dilemas de interromper esse ciclo ou pertencer aos discursos dos pais, que vivem trazendo frases prontas. "Estamos em crise!", dizem eles. E aquelas palavras ficam impregnadas na mente das crianças até a idade adulta.

Uma vez, saí do aeroporto e entrei num táxi. O motorista me cumprimentou assim: "E essa crise, hein?". Rebati: "Que crise?". Ele logo respondeu: "Você não estava no Brasil?". A verdade é que, ao nosso redor, encontraremos inúmeras pessoas que trarão frases prontas sobre aquilo em que acreditam. E não vamos mudar essas pessoas. Mas podemos mudar a nós mesmos.

Destruir a crença hereditária é uma das primeiras coisas que precisamos fazer para dar esse basta. Porém, nem sempre é tão simples quanto parece.

Capítulo 2
Desfazendo o nó

> *Você está onde você se põe. Só se ilude quem é iludível. Eu nasci para o melhor.*
> — Luiz Gasparetto

Todos temos de desfazer as crenças que nos envolvem e perturbam nosso desenvolvimento, mas nem sempre isso acontece num passe de mágica.

Claro que a nossa consciência diz "quero ser feliz, pleno, próspero"; no entanto, é preciso entender por qual razão você funciona como funciona. Não transformamos um comportamento como se aperta um interruptor de luz, porque eles se baseiam em palavras ditas tantas vezes que nem sempre sabemos de onde elas vêm.

As crenças não acontecem de uma hora para outra. Elas são uma construção de uma vida inteira, e isso se constitui por meio do grupo ao qual você pertence. Por isso acreditamos no que nossos pais falam. Acreditamos porque queremos ser aceitos, e criamos crenças com base na ideia de acolhimento e pertencimento. São necessidades afetivas fundamentais: ser acolhido, ser amado e fazer parte de algo.

Crença é uma repetição que constrói um aprendizado, e esse aprendizado se transforma em inconsciente de tal forma que não pensamos mais naquilo. Automatizamos um comportamento e simplesmente fazemos tal coisa porque repetimos muitas vezes.

Se lhe disserem "faça isso" e você não conseguir interromper um ciclo, não se culpe. Você não está errado, e não estou aqui para fazê-lo sentir-se pior. Mas é preciso rever tudo que aprendeu com seus pais e entender como você foi repetindo as experiências que o conduziram a onde está hoje.

Nossos pais e a escola fazem com que internalizemos uma voz crítica que vai virando nossa, e começamos a nos ver daquela maneira, sem desconstruir aquilo nem entender que não é nosso. Se observarmos nossa história pessoal, vamos entender que são padrões de comportamento que se repetem. Começamos a observar que podemos interromper aquele ciclo e construir novos comportamentos.

Isso pode levar tempo, porque é a construção de um novo aprendizado.

Mesmo tendo consciência de que é uma crença que o limita, mudar é construir um novo aprendizado, e isso leva tempo, porque você precisa viver novas experiências que não reafirmem aquilo que você tinha construído com base nas crenças de seus pais.

Isso é feito aos poucos: com novas vivências em sua vida.

Qualquer que seja o padrão que tenha sido transmitido a você, é na prática da vida que ele se reconstrói – entendendo o que foi dito e fazendo de uma nova forma, mudando o seu jeito de agir, para criar sinapses no seu cérebro. Não dá para mudar crenças sem saber o que as originou.

Dar um basta é criar coragem para – ao saber que aquilo é uma herança – recusá-la.

Conheço uma mulher cujo pai sempre trouxe frases prontas que a abalavam psicologicamente. Essa tortura mental foi exaustivamente tolerada na infância e adolescência, e ela acreditava que tinha se livrado de tudo aquilo na idade adulta, mas não entendia por que apresentava determinados comportamentos incompatíveis com suas novas crenças.

Assim como eu, ela não conseguia parar quieta. Trabalhava todos os dias da semana porque, quando se sentava na tão sonhada varanda – que tinha conquistado com o esforço do tal trabalho duro –, não conseguia desfrutar da beleza de ficar parada. De domingo a domingo, uma inquietude a fazia encontrar coisas para fazer mesmo que tudo estivesse bem.

Quando teve um quadro de *burnout*, ela começou a fazer terapia e entendeu o que estava por trás de seu comportamento. Foi aí que se deparou com as crenças hereditárias. Seus pais, no intuito de proteger os filhos, implantaram "chips" na cabeça deles, que então não conseguiam agir por si próprios, mesmo quando queriam muito fazer algo.

Seu pai estava dentro de seu inconsciente quando ela tentava descansar, quando tentava dar algo de valor para si mesma, como uma viagem ou um carro, quando "gastava" seu dinheiro com algo que não era para sobrevivência.

Luxos não eram permitidos, porque ela sempre tinha medo de "faltar". Seu pai era criterioso com isto – que ela precisava ter uma boa poupança para se preparar para os tempos de crise.

Sempre que ela ia usar seu dinheiro para o que quer que fosse, as palavras vinham como se fossem suas: "Ah, não vou gastar com isso, porque amanhã posso precisar". Dessa maneira, ia limitando suas horas de lazer, os passeios, as viagens e tudo que gostava de fazer, em nome de uma "economia" desnecessária.

Quando ganhava muito dinheiro por conta do trabalho, sempre dava um jeito de criar mais despesas. Porque ela sentia que a vida deveria ser dura, uma verdadeira luta. A primeira frase que sempre dizia ao acordar era: "Bora pra mais um dia de luta?". Acontece que, em determinado momento, ela começou a perceber que tais atitudes eram muito incompatíveis com aquilo em que ela acreditava. E, embora tivesse muita dificuldade de admitir, percebeu que tudo na vida estava relacionado com crenças. Ao deixar de fazer algo que não tinha dado certo da primeira vez, ela se via pensando na máxima "se não deu certo era porque não era para ser", que sua avó sempre repetia. Era como um mantra familiar intocável da matriarca da família.

No dia que ela viu essas palavras saindo da boca de sua mãe, entendeu como aquele peixe sem cabeça era um fantasma em sua vida. E decidiu fazer a viagem que tanto queria. Só que, ao "desafiar" essa voz, sua mente ficou em estado de hipervigilância, já que teve medo de realmente "acontecer alguma coisa". Como se o perigo iminente de fazer o que queria fosse muito grande.

Teve uma crise de ansiedade mesmo com tudo dando certo na viagem, e entendeu que a crise veio porque ela tinha desafiado algo que estava muito arraigado dentro de si: tinha desafiado a voz da própria avó, que dizia uma coisa a que ela sempre obedecia. Desobedecer a essa voz é romper um ciclo. E romper com esse ciclo é uma das coisas mais difíceis de se fazer na vida da gente, porque implica criar um ambiente para uma nova realidade.

Quantas vezes você não ouviu que "ser rico é pecado" ou que, para ganhar dinheiro, tem que trabalhar muito? Que vivemos numa situação difícil para todo mundo? Que dinheiro é difícil de ganhar e fácil de perder?

Desfazer isso é o que vamos fazer neste livro. Porque, para determinadas pessoas, tudo é difícil, tudo é complicado, dá trabalho. Pessoas que foram feitas para sofrer, porque na vida nada vem fácil. Pessoas que acreditam que precisam suar muito, sofrer para dar certo.

E tem gente que sai para trabalhar e diz "filho, estou indo para a luta". Quem vai para a guerra gosta de sangue e sofrimento. E "dar o sangue" é um sofrimento danado. Ninguém precisa sofrer para o dinheiro chegar.

Primeiro, porque o dinheiro é uma energia que está no mundo, e, se não está na sua vida, você não está conectado com ela. Porque ela vem fácil, frequentemente e com fluidez na minha vida – mas precisei quebrar muitas correntes para chegar a esse patamar de entendimento.

Precisei deixar de lado as crenças. E conhecer essas crenças é conhecer sua história pessoal e como tais crenças se instalaram no seu inconsciente e se tornaram hábitos que você nem sabe, mas que bloqueiam sua vida e o sabotam constantemente.

A energia do dinheiro é abençoada, próspera, mas não adianta eu lhe dizer isso se, dentro de você, há um repertório interno que contradiz tudo que estou escrevendo.

Dentro de você, essa voz está instalada desde que nasceu. Por isso, não é do dia para a noite que esquecemos as crenças e desfazemos os nós.

O primeiro passo, porém, é reconhecer que essas vozes internas o guiam mesmo quando você não quer.

Sabe a pessoa que compra um carro novo, até caro, mas não liga o ar-condicionado porque "vai gastar gasolina"? Ela até teve o dinheiro, a prosperidade, para tornar o carro realidade, mas a mente continua na escassez, na pobreza interna. Quem instalou isso ali?

É por isso que tem gente que não ganha dinheiro de jeito nenhum. Que não consegue receber dinheiro, que está sempre no vermelho. Olhe para a sua história e veja as **crenças hereditárias** que estão instaladas na sua programação.

Romper a barreira da crise é romper uma barreira dentro da sua cabeça.

Todos temos todos os recursos para isso. Mas a primeira coisa que precisamos fazer é entender onde estão esses **NÓS** e quais são eles.

Em mim basta!

Capítulo 3

Quem está FALANDO aqui?

> "O amor gera curas milagrosas. Amar a mim mesmo opera milagres em minha vida."
>
> - Louise Hay

Falar sobre crenças é algo que sempre fez parte da minha vivência profissional. Escrevi livros, dei cursos e palestras e atendi muita gente em consultório. E vi crenças dos três tipos: sobre identidade, capacidade e merecimento. As crenças que mais nos limitam impedem que vejamos a vida como ela é de fato. Porque vamos levando os discursos e comportamentos que vieram lá de trás, em vez de definir nossos próprios objetivos, desafiar nossos medos ou confrontar tais crenças com a realidade.

As crenças hereditárias geralmente são adquiridas na infância, com a família, e geralmente elas têm um poder que chamo de "contaminador". São discursos que, ao invés de colocarem o indivíduo para cima, limitam seu crescimento. São formas de tratamento, de lidar com a parte financeira, relação com o outro, com a comida, e palavras geralmente ofensivas que propagam medos infundados.

É difícil cortar o cordão da noite para o dia. E, quando crescemos ouvindo tudo aquilo, temos a impressão de que estamos inadequados quando sentimos algo diferente. Não confiamos na nossa própria percepção de mundo.

Durante muito tempo, uma aluna minha viveu uma vida seguindo as crenças de seus pais, sem saber. Ela tinha pais agressivos e alcoólatras. Cresceu como filha única e via os abusos acontecendo dentro de casa. Sua mãe e seu pai brigavam, voltavam, tinham picos de alegria e outros em que não se toleravam. Ela casou-se com um homem parecido com seu pai, e, quando viu, sua relação estava pior: marido alcoolizado, ela verbalmente violenta, e sua filha sofrendo os efeitos daquela parentalidade doentia. Quando se separou, começou a fazer terapia e a observar o que tinha acontecido naqueles anos entre a adolescência e a vida adulta, e percebeu um padrão. "Os homens são assim mesmo", era o que dizia a si mesma quando via o comportamento do ex-marido. Mas aquele discurso não era seu. "Tem que aprender a perdoar quando o outro erra", ela dizia quando se via desrespeitada e agredida. Mas aquele discurso não era seu.

Outra aluna, que sempre via a mãe fazendo tudo para agradar o marido, percebia a movimentação da casa quando a mãe estava infeliz. Ela sempre dizia que era importante cuidar da casa, às vezes "engolir certos sapos", para o casamento dar certo, e, quando percebeu, estava com 42 anos, infeliz no casamento e fazendo tudo aquilo que tinha aprendido com a mãe.

Era uma esposa excelente, cuidava da casa, mas não fazia nada de que gostava. Estava em profunda depressão e nem sabia a raiz daquilo. Tinha sufocado a si mesma durante tanto tempo que nem sabia quem era. Mas, para a sociedade, era como sua mãe – vivia de aparências. Tinha um casamento perfeito, filhos sempre bem arrumados, casa impecável. E dentro dela amargava uma angústia cuja origem ela nem sabia.

Quando foi conversar com sua mãe a respeito, ela simplesmente ouviu a filha e disse: "Casamento é assim mesmo". E começou a contar que a avó também tinha vivido aquela vida de insatisfação, que para uma mulher não era bom ficar sozinha, que pelo menos ela tinha um homem que era um bom pai e trabalhador. Saiu dali e entendeu muitos porquês. Mas ainda não sabia dar um basta naquela situação.

Esses exemplos são apenas alguns de pessoas comuns que perceberam que ao redor de si havia fatores contaminantes. Pessoas que perpetuavam ciclos que as faziam sentir-se mal. Muitos acontecem na área da saúde, outros na área de relacionamento, outros no trabalho. Crenças, comportamentos, palavras nocivas. Sabe quando você começa a agir no automático porque "todo mundo na família age assim"? Ao invés de dar um basta em algo que pode colocar fogo no parquinho (e na sua vida), você joga gasolina e deixa tudo incendiar. Quando percebe, tornou-se a pessoa que não gostaria de ser. Amargurada, reclamona, cheia de dívidas, que vive sabendo apontar muitos culpados e poucas soluções. Dar um basta nesse ciclo é dizer para si mesmo "em mim basta!", deixando de alimentar situações tóxicas que podem minar sua autoestima, sua prosperidade, sua vida no geral. E a primeira pergunta que você deve fazer nesses momentos é "Quem está falando aqui?".

Muitas vezes reproduzimos palavras, atitudes e comportamentos de nossos pais sem ao menos nos darmos conta disso. Há algumas semanas, uma amiga viu que haveria o show de uma banda incrível que ela amava. Era uma atração internacional – por isso o ingresso era mais caro. Enquanto decidia se iria, dizia que achava melhor não ir mesmo, porque, com aquele valor, poderia fazer três meses de mercado. "Acho que estamos em crise, melhor eu economizar do que ir para a farra", ela disse. Logo em seguida, fiz a pergunta: "Quem está falando isso é você ou seus pais?". Ela se engasgou, ficou com as bochechas vermelhas e riu de si mesma. Aquele não era seu discurso. Mas, em determinados momentos da vida, via-se na obrigação de "poupar" dinheiro quando pensava em gastar com coisas para si. Porque seus pais diziam sempre que era melhor economizar do que ir para a farra.

Tudo que era considerado fora da linha do limite da sobrevivência, para eles, era "farra". E ela sempre se via ali, acuada diante daquele discurso. Parte dela morria de vontade de fazer tudo que tinha vontade, gastar seu dinheiro como bem entendesse. A outra parte ficava minando seus desejos e vontades e não conseguia tomar uma atitude coerente. Esses dois "eus" brigavam constantemente sem que ela entendesse que, na verdade, a figura de seus pais estava introjetada em sua cabeça o tempo todo.

"Em mim basta!" é um grito de guerra para interromper aquilo que pode derrubá-lo financeira e emocionalmente. É o antídoto para o veneno que está matando uma sociedade que já estava adoecida. Quando dou um basta numa situação que se replica constantemente, ela fica evidente. Não preciso dizer a mesma coisa que todos dizem na fila do caixa sobre o preço dos medicamentos.

Ou sobre a inflação, a crise, ou seja o que for. Não preciso repetir palavras e padrões sobre relacionamento ou dinheiro. Precisamos imediatamente interromper ciclos de autodestruição.

Você deve ter alguém na família que sempre estava de calculadora em mãos, com boletos para pagar, acreditando que era responsável por estar ali perdendo a vida diante daquele monte de contas. Uma aluna me contou, certa vez, que seu pai era praticamente uma máquina de calcular. Ele sempre olhava todas as experiências como gastos e nunca via qualquer coisa que fosse fora da rotina como algo positivo. Sendo assim, sempre que ela viajava, sentia-se culpada. Voltava como se tivesse cometido um crime contra a humanidade e dizia que a viagem não tinha sido legal. Começou a perceber os padrões e lembrou-se de uma vez, quando era criança – a única vez em que viajou com seu pai –, e ele voltou pela estrada reclamando de ter gastado dinheiro com aquela viagem. "Podíamos ter usado esse dinheiro melhor. Viagem é dinheiro desperdiçado." Ali se instalava uma crença. Então, na idade adulta, sempre que viajava, ela nem sabia por qual motivo, ao invés de se sentir bem, sentia-se mal com o passeio. Depois dessa consciência, notou que outros padrões de comportamento paterno a afetavam profundamente. Ela precisava dar um basta.

Quando você entende que não é você quem está falando aquilo, e sim uma crença instalada em você – que talvez nem faça sentido hoje –, fica mais fácil se conscientizar diante das situações que podem gerar grandes conflitos. Identificar essa voz que fala por nós sem que estejamos conscientes é o primeiro passo para sair do piloto automático. Toda crença pode nos limitar de alguma maneira. Por isso elas são tão conhecidas como "crenças limitantes". O que faz com que limitem a gente é porque bloqueiam, travam e criam resistência para que realizemos aquilo que queremos na vida.

Um bom exemplo disso seria se eu ouvisse meu pai dizer que ninguém da família estudava. Eu queria romper aquele ciclo e estudei. Mas se "ninguém" estuda, quando você conquista aquilo, torna-se "ninguém". E ser "ninguém" pode ser apavorante. Porque você rompe com uma crença e ao mesmo tempo percebe que várias outras eram apenas limitações que seus pais colocavam – e não correspondiam à realidade. Uma colega de trabalho disse certa vez que, quando começou a namorar seu atual marido, sempre dizia para ele entrar na garagem para buscar ela, porque era perigoso. Depois, começou a trazer discursos sobre assaltos, sobre tráfico de pessoas, sobre sequestros, e um dia ele perguntou: "Mas onde você mora, na Faixa de Gaza?".

Ela percebeu então que aquele não era um discurso dela, e sim de seu pai, que vivia vendo notícias num telejornal e a assustava constantemente para que ela não saísse de casa, embora morasse num condomínio seguro e num bairro nobre da cidade. Durante muito tempo, ela não saiu à noite, não via amigas, não fazia muita coisa, por medo do que poderia acontecer ao sair de casa. E, graças ao namorado, conseguiu perceber que tinha sido presa em um padrão familiar de medo. Conhecer as crenças contribui para que nossa vida flua com mais leveza, já que tais crenças ficam no nosso inconsciente, limitando nossas escolhas. Isso porque o ser humano tende a querer validar a "verdade" dita pelos pais.

Eu mesmo me sabotei muitas vezes ao ganhar muito dinheiro, e conheço inúmeras pessoas que também fizeram isso. As crenças geradas sobre dinheiro fazem com que caminhemos para a escassez sem percebermos, só para validar aquilo que nossos pais nos diziam. Isso pode ser terrível para seu crescimento, porque faz com que você viva na dor. E tem coisa pior do que viver na dor e na inconsciência? Sem tomar seu destino pelas mãos? A pergunta que fica quando você entender quem está dizendo aquilo que dita seu comportamento é: o que estou escolhendo viver para validar as crenças que decidi alimentar? E se a crença limitante dos seus pais ditar seu comportamento, você pode finalmente perguntar: quem está falando aqui? Aproprie-se da sua vida.

Capítulo 4

A máquina de criar crenças

> "O passado acabou, não tem poder no presente!"
> - Louise Hay

Toda criança, desde que nasce, vive em um sistema de crenças. Familiares, professores, pessoas com as quais convivemos podem fortalecer nossa vida, nos levando a fazer escolhas que nos tragam liberdade e nos façam sentir merecedores, ou criando padrões de bloqueio à realização.

Já vi muitas pessoas acreditando que não eram "boas o suficiente" em nada do que faziam, simplesmente porque as crenças negativas da infância estavam limitando seus comportamentos. Uma aluna dizia que sua mãe não se permitia errar, e ela acabou criando um mecanismo de não deixar nada escapar de seus olhos, porque tinha pavor de errar. Era como se um erro fosse sinônimo de fracasso. Isso fazia com que evitasse situações em que não tivesse controle.

Pais e mães são verdadeiras máquinas de criar crenças. E nem percebem o que fazem ou o porquê de fazerem o que fazem.

Recentemente, a Pixar lançou um filme chamado *Red: Crescer é uma fera*, em que a personagem principal é uma adolescente que luta contra as crenças de toda uma família tradicional. Seu crescimento implica romper com tais crenças que controlam sua vida e não deixam que ela seja ela mesma, mas as crenças estão tão arraigadas na menina que modificar e romper esses padrões é lutar contra uma cultura familiar de opressão. A verdade é que muitos de nós não conseguimos parar essa engrenagem e dar um "em mim basta!". Passamos a vida criando experiências para corresponder às nossas crenças e acabamos passando pelas mesmas situações infinitas vezes.

Nosso cérebro é um computador eficiente que acessa informações o tempo todo, e a maneira como respondemos a uma experiência depende da informação que é dada para a mente e como pode ser recebida e interpretada. Se a crença for aceita como real – por mais absurda que ela possa ser –, ela vira uma programação. E aí pode trabalhar em nosso benefício ou prejuízo. Só que a maioria dos programas foi tão bem instalada por nossos pais e avós que fica oculta. E, se a pessoa tem um programa oculto de que não pode ter sucesso com seu trabalho, ela vai dar um jeito de se autossabotar quando estiver conquistando o sucesso.

Já vi pessoas sendo bem-sucedidas e usando a própria energia para derrotarem a si mesmas quando tudo ia bem. Acredite: não fazemos isso porque queremos. O programinha está instalado, e nem sempre a pessoa se dá conta de que está obedecendo àquelas instruções em vez de seguir aquilo que lhe faz bem.

Uma aluna disse que, na véspera de receber um prêmio muito sonhado, tinha tomado um grande porre e ido parar no hospital. No dia do prêmio, não compareceu, e seus pais disseram: "Não era para acontecer. Esse tipo de prêmio nunca vem para a nossa família". Já parou para pensar que esse slogan já estava formulado dentro de alguém ali naquela família?

Falo slogan porque você pode reparar que, sempre que alguém tem uma crença, ela repete isso muito, e vira uma espécie de slogan mesmo. Esse "não era para acontecer. Esse tipo de prêmio nunca vem para a nossa família" eu não quero para mim!

Aquele sistema de sabotagem dela era tão grande que, mesmo tudo dando certo e caminhando na direção correta, ela se sabotou a ponto de reafirmar uma frase de seus pais. Porém, quando entendeu que existia um programa ali dentro de si que rodava desde a infância na mente inconsciente, passou a estudar os programas herdados do seu sistema familiar e deixar de ser moldada por eles.

No livro *A Biologia da Crença*, Bruce Lipton, Nobel em Biologia, conta uma história incrível sobre como as crenças podem ser fortes. Em 1952, um médico inglês chamado Albert Mason cometeu um erro. Estava tratando, por meio da hipnose, um adolescente de quinze anos que tinha problemas de verrugas.

Tanto o doutor Mason quanto outros médicos já haviam utilizado a hipnose para tratamento, mas esse paciente era um caso especial. Na primeira sessão, Mason se concentrou no braço do rapaz. Induziu-o ao estado de transe hipnótico e lhe disse que seu braço seria curado e que passaria a ter a pele normal e saudável. O paciente retornou uma semana depois, e o médico ficou satisfeito ao ver que a pele do braço do garoto estava normal.

Contudo, quando conversou com o cirurgião que havia tentado, sem sucesso, fazer enxertos na pele do paciente, percebeu que havia cometido um erro médico. O cirurgião quis ver o rapaz e ficou muito surpreso com o resultado. Explicou a Mason que se tratava de um caso genético e possivelmente letal de ictiose congênita, e não de simples verrugas.

Eliminando os sintomas utilizando "apenas" o poder da mente, Mason e o rapaz fizeram algo considerado impossível na época. Continuaram com as sessões de hipnose, e a pele da maior parte do corpo dele se tornou rosada e normal. Em uma entrevista para o Discovery Health Channel, ele disse: "Eu apenas fingia que estava tudo bem". Como a mente consegue ser mais forte que a programação genética? Como a simples crença de Mason pôde afetar o resultado do tratamento?

Para o Dr. Bruce, "é uma simples resposta de estímulo a um comportamento programado armazenado em sua mente subconsciente". Ele ensina no livro que, quando se trata de habilidades de processamento neurológico, "a mente subconsciente é milhões de vezes mais forte que a mente consciente". Se os desejos da mente consciente entram em conflito com os programas subconscientes, você pode repetir centenas de vezes afirmações positivas do tipo "as pessoas me amam" ou "irei me curar". Se aprendeu desde criança que não pode ser amado ou que tem saúde frágil, essas mensagens programadas em sua mente subconsciente vão fazer cair por terra todos os seus esforços para modificar sua vida.

A parte boa é que, segundo ele, "temos a capacidade de avaliar conscientemente nossas respostas aos estímulos do ambiente e de modificar determinadas reações arraigadas em nosso sistema a qualquer momento... bastando para isso manipular a poderosa mente subconsciente". Brigar com essa máquina nem sempre é tão simples quanto parece, e Bruce mostra no livro uma história que ilustra bem o que quero mostrar: precisamos ser inteligentes para desfazer esse maquinário.

No filme *Shine – Brilhante*, baseado em uma história real, o pianista australiano David Helfgott desafia seu pai ao decidir ir para Londres estudar música. O pai, um sobrevivente do Holocausto, programara a mente subconsciente de seu filho com a crença de que o mundo era perigoso e que enfrentá-lo poderia ameaçar sua vida. Insistiu que o filho só estaria seguro se permanecesse próximo de sua família. Mesmo assim, o menino tenta se libertar da família para realizar seu sonho. Em Londres, toca uma peça muito difícil, o "Terceiro Concerto de Rachmaninoff", em uma competição.

O filme mostra o conflito entre a mente consciente do rapaz, tentando obter sucesso, e sua mente subconsciente, dizendo-lhe que estar visível e ser internacionalmente reconhecido poderia trazer riscos à sua vida. Durante o concerto, sua mente consciente luta para manter o controle, porém, seu subconsciente, com medo de que ele vença a competição, tenta assumir o controle do corpo. Ele se mantém firme até a última nota, mas desmaia logo depois, exaurido pela batalha.

A máquina de criar crenças nos traz uma programação de que o mundo é perigoso, não é possível viver do que se ama, ser bem-sucedido e ter dinheiro equivale a tirar do outro, é mais seguro ter apenas o suficiente para sobreviver, não merecemos ser amados, não somos bons o suficiente, os homens são difíceis, não somos capazes, afastamos as pessoas que amamos, espiritualidade e dinheiro são incompatíveis, precisamos agradar a todos – e tudo isso traz raiva e desesperança, mas molda nosso destino.

Ao detectarmos as crenças que nos limitam, devemos diagnosticar quais diálogos internos estão gerando pensamentos e crenças e que emoções surgem quando pensamos naquilo. Com a autorreflexão, comece a entender se existem evidências de que aquilo seja verdade e se a crença tem qualquer fundamento.

Capítulo 5

"Não posso ser feliz"

> "Vocês têm duas opções de ver a vida, a partir da memória ou da inspiração. As memórias são antigos programas que voltam a ser executados; a inspiração é o Divino transmitindo-lhes uma mensagem."
>
> - Dr. Hew Len – Ho'oponopono

Sempre que ela entrava num palco, escrevia algo importante ou fazia uma coisa que a deixava em êxtase, via seu corpo colapsar logo em seguida. Tinha tonturas, medo, e não ia adiante. Encontrava uma série de motivos para sabotar a si mesma e voltava à estaca zero, mesmo que estivesse no topo. Sempre que isso acontecia, sua família dizia que "quanto maior a altura, maior a queda". E ela se via em queda livre a todo momento, porque subia com muita facilidade.

Na vida profissional, sempre que decolava, ganhava dinheiro e perdia ao mesmo tempo, para fortalecer a crença de seus pais. Quando um relacionamento começava a dar certo, dava um jeito de sabotar e voltava a se sentir infeliz e triste, um estado conhecido. Até que um dia, depois de mudar para a casa dos sonhos, percebeu que estava tudo bem. E, sem que nada mudasse ao seu redor, sabotou a própria felicidade e saiu de lá, criando motivos para ser infeliz.

Diagnosticar que somos nós que muitas vezes impedimos nosso crescimento por causa de crenças que foram instaladas quando éramos crianças é difícil. E dar um basta nisso é necessário para amadurecer, evoluir e ser quem você veio para ser. Existem, infelizmente, milhares de "elas" por aí agora sem dar um EM MIM BASTA!

Já contei aqui que fui adiante nos meus sonhos, no entanto, eu também sofria quando crescia demais e dava um jeito de falir. Na falência, encontrava forças para me reerguer – e dessa forma perpetuava um ciclo. Eu queria mostrar que era capaz, que era forte e colocava os obstáculos quando eles não existiam, só para mostrar como eu conseguia superar as dificuldades.

Todos nós – se observarmos a nossa linha da vida – vamos encontrar esses ciclos de autossabotagem que não são conscientes, mas fazem com que a felicidade pareça impossível de ser alcançada.

Uma amiga disse que sua avó sempre falava, quando a via feliz: "Vai rindo demais que vai acabar chorando". E sempre que se via feliz, ficava em alerta. Algo ruim poderia acontecer. Não celebrava nada, nem via alegria nas pequenas coisas, porque era como desafiar a avó.

Se algo ruim iria acontecer, por que desfrutar da fase boa?

Nem sempre um livro vai lhe trazer a cura, mas se ele fizer com que você compreenda esse mecanismo, já estamos falando de 50% da sua revolução pessoal. À medida que você entende que aquele comportamento teve origem em algo que não foi um comando consciente, sua história pode ser mudada. E pode ser doloroso no começo, porque estamos acostumados com aquele sofrimento que nos coloca onde não queremos estar.

Por pior que seja, ele é reconfortante.

Como colo de mãe, dizia uma amiga.

Só que tudo tem um preço.

Você pode ser feliz. E é um direito seu fazer mudanças no campo material, emocional e espiritual para tirar medo, ciúmes, inveja e sair do piloto automático. Essa guerra interior se dá porque temos mais de 65 mil pensamentos por dia. E a pergunta é: quantos deles serão positivos para nós?

Vivemos a Era da Complexidade e da Velocidade. Tudo é para ontem no tempo da internet, e nem nos damos conta de que descuidamos da nossa vida emocional. Descuidamos dos hábitos diários e nem refletimos o que podemos melhorar hoje. Limpar essa programação toda e dizer a si mesmo que a felicidade é seu direito é mudar de um estado de falta para abundância. Para nos reinventarmos, precisamos de criatividade. Novos jeitos de agir.

Melhorar a qualidade dos pensamentos é um primeiro passo, porque eles formam um novo caminho neural. Se a vida é um eco que nos traz experiências parecidas com a energia que emitimos e o que pensamos, precisamos mudar de estação com urgência.

Sabe quando você ouve uma estação de rádio e está insatisfeito com a música? Pode mudar a estação, e outra música vai tocar no lugar.

Podemos mudar nossa assinatura energética da mesma forma se entendermos que todo sentimento tem fome dele mesmo. Que ter medo faz com que tenhamos mais medo. E, ao mesmo tempo, a felicidade atrai a felicidade.

Já percebeu que, naquele mês em que você diz que não pode gastar, as contas triplicam? Porque, ao olhar para a falta, você atrai a falta. Trabalhar o pensamento próspero é criar jeitos – mais criativos e dinâmicos – de viver a sua vida.

Se formos observar o grande mestre da humanidade, Jesus, ele simplesmente perguntava às pessoas: você tem fé? A fé é a força dentro de nós que nos transforma e move montanhas. Ter fé é acreditar no seu potencial de crescer e romper com as correntes que o limitam hoje.

Mas será que temos certeza do caminho a trilhar? Sabemos bem o caminho que nossos pais querem para nós, mas não entendemos o que podemos melhorar agora. Como interromper esse ciclo de autodestruição e mudar de estação?

Quem disse que a felicidade não é para você que se acostumou a uma vida dura, com sacrifícios, medos, e não teve a oportunidade de trabalhar fazendo aquilo que realmente queria, ganhar dinheiro com o que gostava?

Provavelmente teve um relacionamento pífio ou malsucedido e lhe deu um mapa com instruções equivocadas – mas que você segue cegamente.

Conheço uma aluna que, quando se viu solteira e infeliz depois do término do relacionamento, ouviu de uma tia: "Não dá para namorar um homem que amamos. Tem que namorar um que nos ame". Desse dia em diante, ela não se deixava envolver nos relacionamentos. Vivia relações com homens que a amavam, mas era sempre infeliz, porque não conseguia se relacionar quando se apaixonava. Acreditava que sofreria demais se se apaixonasse, e evitava o envolvimento a todo custo. Suas relações eram mornas. Os namorados eram apaixonados por ela; ela era fria e infeliz. Mas não entendia como desfazer essa crença.

A verdade é que, conforme começarmos a observar todas as palavras que nos foram ditas ao longo da vida, podemos entender como agimos e por qual razão agimos daquela maneira.

Se você está se perguntando "por onde começo?", lhe digo agora: se entender que basta, já é o bastante.

Dar um basta nessa reprodução inconsciente de palavras e atitudes que limitam nossa felicidade é o primeiro passo para ser feliz.

Capítulo 6

Dinheiro não dá em árvore

> "Se você vê algo em sua mente, irá segurá-lo nas mãos."
> - Bob Proctor

Ela estava feliz. Era seu aniversário, e tinha todos os motivos do mundo para comemorar. Tinha tido algumas conquistas profissionais, estava bem de saúde, realizada, e convidou a família para um almoço. Todos ficaram contentes, embora seus pais tenham ido a contragosto. Achavam o restaurante muito chique. Segundo eles, "não precisava" gastar desse jeito.

O almoço correu bem, ela estava alegre e, quando veio a conta, pagou e não deixou seus amigos ajudarem. Seus pais ficaram de cara amarrada. Aquele estado de felicidade se dissipou quando ela se despediu dos convidados e entrou no carro ouvindo seu pai dizer ao se despedir: "Você precisa entender que dinheiro não dá em árvore".

Enquanto dirigia para casa, ela não se lembrava dos abraços, das conversas ou de qualquer outro momento de realização. As palavras que tinham sido registradas haviam sido aquelas. "Dinheiro não dá em árvore." Chegou em casa, checou as contas e ficou amargando a sensação de que tinha feito algo errado. Logo a culpa a invadiu, como se não pudesse ser possível ter momentos de leveza e diversão com as pessoas de que gostava.

Naquela tarde, ela estava mais consciente de que seus pais não tinham exatamente as mesmas crenças dela. E começou a recordar todos os momentos em que tinha sido invadida por aquele sentimento. Sempre que estava feliz por desfrutar do dinheiro que era fruto de seu trabalho, via seus pais em uma tela mental diante de si dizendo que precisava poupar, "porque nunca sabemos o dia de amanhã".

Quantos de nós não caímos nessa armadilha?

Já vi muitos pacientes e alunos sendo invadidos pela culpa depois de dias extraordinários. Geralmente eram perseguidos pelos fantasmas das palavras de seus pais, que traziam sempre crenças hereditárias a respeito de como deveriam gastar seu dinheiro.

E aí cria-se um bloqueio. A pessoa não gasta, e, quando usa conscientemente seu dinheiro para proporcionar alegria e bem-estar, acaba deixando esse juiz interno arbitrar e dizer que está agindo de maneira errada. O resultado é que a culpa se instala depois dos dias de maior realização, e a pessoa acaba criando o seguinte caminho neural: realização = culpa e arrependimento. Tudo isso porque, quando faz algo que a realiza, a autocrítica chega e arrebenta a realização com frases prontas. Tais frases têm o efeito de uma bomba nuclear e destroem os momentos felizes dentro de quem está sob esse efeito das crenças dos pais. Como a culpa carrega um amontoado de tralhas, aquela pessoa se torna incapaz de ter momentos felizes, porque quer evitar a sensação pós-felicidade trazida pelos julgamentos internos (que foram construídos a partir da percepção de outras pessoas). Só quem viveu isso sabe o quão difícil é se livrar desse amontoado de crenças hereditárias.

Por outro lado, quem dá um "EM MIM BASTA" nessa situação doentia consegue agir e ter a tão esperada sensação de realização pessoal.

Conheço uma aluna que sabia que os pais não aprovavam sua maneira de gastar dinheiro. Como eles haviam vivido numa época de muita privação e escassez, tinham sempre medo de perder, de não ter e de faltar. Conectados com esse discurso, não faziam absolutamente nada que pudesse deixá-los na zona de risco.

Mas ela cresceu e foi abençoada com uma colega de trabalho que tinha sido criada de forma diferente. Com o passar dos anos, ao lado da amiga que dividia com ela crenças absolutamente contrárias, ela não se sentia "errada" ao usar seu dinheiro como bem entendia. Até que, em determinado momento, ao comprar um carro maior e mais novo, foi visitar seus pais para mostrar aquela conquista, e viu ambos preocupados. O que teria acontecido?

Eles diziam que ela não deveria ter comprado o tal carro. Que era um absurdo e ela não precisava daquilo. Mas ela estava certa do que queria. E respondeu que tinha, sim, o direito de comprar o carro que quisesse, porque gostava de se sentir bem dirigindo um carro novo e que trabalhava para isso. Foi difícil romper aquele padrão, mas, ao conseguir, ela sentiu-se liberta. Como se correntes que a aprisionavam a um modelo mental tivessem sido soltas e ela pudesse finalmente ser livre.

As crenças sobre dinheiro geralmente são aquelas que mais fazem com que as pessoas fiquem presas a um padrão. Como o medo da falta é muito grande, elas acabam reproduzindo um discurso desconectado da realidade, mesmo quando estão bem-sucedidas. Já conheci empresários de sucesso que não gastavam mesmo com milhões na conta, como se estivessem sempre a um passo de passar fome. Essas pessoas sempre conseguem ganhar dinheiro, mas vivem na "falta".

As crenças não têm nada a ver com religião. Crença é aquilo que você acredita que é verdade. Uma "realidade absoluta". Identificando de onde vem essa crença, você pode entender que às vezes uma pessoa que se entope de comida não está fazendo isso porque está com fome. Ela pode estar ouvindo suas vozes inconscientes dizendo que ela "precisa raspar o prato". Esses exemplos são simples, mas podemos usar para tudo. E o próximo passo é entender quais são as nossas crenças limitantes, para conseguir transformá-las em crenças fortalecedoras.

Se é uma pessoa que sempre ouve de si mesma "dinheiro não dá em árvore", que vai contra aquilo que ela quer, essa pessoa irá dizer sempre algo que rebaterá aquela crença: "agora tenho clareza de que tenho potencial para gerar meu dinheiro".

Ninguém acorda pela manhã tendo que provar para si mesmo que o céu é azul. Porque sabemos, e nosso cérebro registra essa informação. Agora, qual informação nova você precisa registrar para perceber essas crenças novas?

Depois disso, é preciso criar um hábito novo. A ordem é basicamente esta: identificar a crença que limita, quebrar a crença e instalar um novo hábito, para que possamos avançar. O que é um hábito? É uma nova estrada que abrimos no cérebro. E treinar seu cérebro é contar para ele que o céu é azul. Fortalecer as frases positivas que podem lhe trazer prosperidade. Somos um sistema e precisamos vivenciar a nova crença fortalecedora para atingir os objetivos que queremos.

Existem informações positivas que podem nos gerar novos resultados. Se crenças limitantes são coisas em que acreditamos com muita força e prejudicam nosso dia a dia, porque se tornam verdades absolutas no cotidiano, precisamos perguntar a nós mesmos o que deixamos de conseguir por causa de crenças que nos limitam. Sabe aquilo que o impede de fazer o que você mais deseja? Muitos nem tentam os sonhos.

A crença que você tem hoje existe porque você viu pessoas passando por isso ou teve uma experiência? Vejo pessoas que dizem que precisam trabalhar a vida inteira para conseguir determinadas coisas. Elas são limitadas e não esperam nada além daquilo que está naquele roteiro que elas imaginam.

As crenças são generalizações de ideias vazias e sem fundamento. Por exemplo: quem fala que "sócio não presta", porque teve sócios que não foram honestos, fala a partir de uma experiência única. Da mesma forma, quem fala que "homem não presta" está generalizando a partir de uma vivência. Quebrar essa crença é dizer "conheço homens que são incríveis" ou "atraio sócios íntegros e honestos".

Para acabar com isso, é preciso trabalhar pensamentos e afirmações fortalecedoras. Primeiro, acabar com essa voz interna. Porque essas frases são como slogans para elas. Mudar isso é criar slogans novos. Por exemplo: ao invés de dizer que dinheiro não dá em árvore, dizer "dinheiro pra mim vem com facilidade e de infinitas fontes".

Entendo que sua cabeça deve estar dando um nó, e nem sempre é simples mudar o ambiente por dentro e por fora. Mas, ao fazer isso, você poderá finalmente ter o controle da sua vida, ao invés de ser puxado de um lado para outro.

Antes de instalar novas crenças, vamos entender um pouco sobre dinâmicas familiares e as necessidades envolvidas na relação entre as pessoas.

Capítulo 7

A dinâmica FAMILIAR

> "Você é o imã mais poderoso do Universo. Contém um poder magnético dentro de si que é mais forte do que qualquer outra coisa neste mundo, e este poder magnético incomensurável é irradiado pelos seus pensamentos."
>
> - Rhonda Byrne

Todos temos necessidades afetivas que tentamos satisfazer o tempo todo. O problema é que uma entra em conflito com outra. E, na nossa dinâmica familiar, tudo acontece ao mesmo tempo. São relações que, na maioria das vezes, trazem tensão.

Quem se sente ameaçado pelo pai, mas não tem como fugir disso porque existe um vínculo familiar, mesmo que haja agressividade ou abuso, não consegue sair daquele lugar. Para aplacar a tensão, muitos usam a raiva e dessa forma resolvem a tensão, acreditando que esse é o único jeito de sair desse círculo vicioso.

Como a maioria das pessoas vive no campo da sobrevivência, a satisfação desaparece e não nos sentimos cuidados. Por isso, é interessante entender os sete afetos fundamentais que a neurociência afetiva traz.

Todos os nossos sentimentos estão relacionados a isso. O neurocientista Jaak Panksepp (1943-2017) estudou as emoções básicas em mamíferos, motivado por compreender a natureza das emoções e suas relações com os distúrbios psíquicos humanos. As sete necessidades afetivas básicas são:

Necessidade de buscar (quando algo falta em nossa vida e buscamos soluções para não estarmos tensos);

Necessidade de fuga (quando vemos ameaças no mundo externo e tentamos fugir para diminuir a tensão, trazendo um estado de alerta, com ansiedade e medo);

Necessidade de luta (quando tomamos decisões em segundos para nos defendermos, e isso traz raiva e agressividade);

Necessidade de sexualidade (quando a pessoa busca prazer na necessidade de aliviar a tensão);

Necessidade de amor (quando queremos ser amados e satisfazer nossa necessidade de carinho e afeto);

Necessidade de cuidar (quando cuidamos do outro e nos colocamos no lugar das pessoas);

Necessidade de dominar (quando queremos ter o domínio nos relacionamentos).

Quando saímos do campo familiar, enxergamos novas relações, e aquilo nos transforma. Porém, ao voltarmos ao âmbito familiar, nossos pais nos enxergam da mesma maneira como sempre nos viram, e não como nos tornamos de verdade – e isso acontece com pais e filhos. Enxergamos aqueles modelos de pais que experimentamos na infância e não "atualizamos o sistema". E parece que ninguém mais se entende.

Os conflitos aumentam porque o ser humano geralmente não revê a "imagem" que fez do outro e repete aquela imagem exaustivamente.

Conheço um empresário que sempre buscou a aprovação do pai e tentou todos os cargos para que o pai o aprovasse. Quando se tornou diretor de uma grande empresa e mesmo assim não era suficiente, ele não conseguia um elogio do pai, e isso fazia mal para ele. No entanto, não conseguia enxergar que o pai estava insatisfeito e frustrado com a própria vida e descontava suas insatisfações e frustrações na figura do filho.

Dar um "em mim basta" nesse caso não é jorrar raiva no pai e dizer que aquele homem não o aceita nem compreende. É olhar o pai como ele é, com suas inseguranças, crenças, medos, e aceitar que nem tudo gira ao nosso redor.

A falta de diálogo cria uma desconexão ainda maior, e, se não sabemos quais afetos não estão sendo satisfeitos, continuamos "brigando" para satisfazer necessidades afetivas. Nem sempre seu pai o está punindo por algo. Nem sempre sua mãe o está criticando. E você repete em sua memória os mesmos eventos que aconteceram quando era criança. O pai enxerga o filho criança que não fez a lição de casa direito. Todo mundo acha que está fazendo seu melhor, e nem sempre o outro acha que aquilo é o bastante.

Só para você ter uma ideia de como nosso cérebro funciona, ele está constantemente tentando prever o futuro, e esse processo tem um nome: "codificação preditiva".

Ele busca prever o que vamos cheirar, ouvir e sentir, e faz isso para economizarmos recursos. Sendo assim, estamos sempre criando expectativas sobre um futuro incerto, e dessa forma o cérebro gera modelos de crenças sobre determinadas informações.

Tais crenças são a maneira que o cérebro encontra de criar probabilidades sobre o mundo com base num modelo interno. Agora, imagine: você viveu criando essas crenças e esses modelos durante toda a infância e adolescência. Para seu cérebro, muitas vezes aquilo que você sabe que não faz o menor sentido lógico faz algum sentido, porque é como ele sobrevive.

Na maioria das vezes, somos reativos, em vez de termos consciência das necessidades do outro em nossas relações.

Colocamos nossas necessidades em primeiro plano e nem pensamos em como o outro está satisfazendo as necessidades dele. Se uma mãe com necessidade de dominar está controlando o filho incutindo nele medo para que não fale com estranhos, ele está recebendo aquela informação e simplesmente reagindo sem se dar conta de que o medo é dela e a necessidade de dominar é dela.

Aquele menino cresce acuado e, sempre que reencontrar a mãe, mesmo que ela não seja mais uma figura com necessidade de dominar a ser satisfeita, vai olhar com aquele filtro e julgar a partir dele, relacionando-se com aquele modelo de mãe pré-concebido na infância.

Por que estou dizendo isso? Porque você pode encontrar dificuldade em instalar novas crenças fortalecedoras, e entendo que pode existir um circuito poderoso que tente impedi-lo de instalar os novos hábitos e crenças, já que essas mesmas crenças fizeram com que você sobrevivesse até aqui – e seu cérebro está "acreditando" que você está protegido por elas.

Uma garota cuja mãe sempre teve necessidade de cuidado não correspondida se tornou "mãe" da própria mãe ainda criança. Certa vez, já adulta, com a filha bebê nos braços, viu sua mãe pedindo socorro por determinado evento. Foi quando se deu conta do absurdo que sempre vivera, de cuidar da própria mãe.

Naquele momento, contudo, ela não tinha nem como cuidar de si mesma, já que estava com uma bebê recém-nascida. O choque com tal realidade foi tão grande que ela literalmente adoeceu para poder ser cuidada por alguém, já que não dava conta de tantas demandas.

Esse processo acontece o tempo todo em diversas famílias, e nem entendemos essa dinâmica, porque vamos agindo no automático. No caso dela, a mãe dizia constantemente que "filhos devem cuidar dos pais", e isso era dito para que ela satisfizesse a própria necessidade de cuidado, sem pensar nas necessidades da filha.

Enquanto cada um pensa nas próprias necessidades, fica difícil entender a necessidade do outro. A maior prova disso é que, na adolescência, ao começar a sair do drama de controle da própria família, o jovem se vê apto a tomar decisões por si mesmo, porque se sentia "encurralado" pelas crenças familiares. E é saudável que, de certa forma, ele expresse sua opinião, seu querer e suas necessidades.

Portanto, antes de mudar todas as crenças, observe que não existe espaço para julgarmos o outro pelo que provocou em nós. Somos todos humanos em processo de aprendizado, e cada um vai tentando preencher seus espaços vazios em busca do preenchimento de necessidades.

Capítulo 8
Derrubando CRENÇAS

> "Nada que seja perfeito, completo e certo para você pode lhe ser negado quando você é o seu Eu em primeiro lugar."
>
> - Dr. Hew Len – Ho'oponopono

A partir do momento em que você tomou a decisão de ler este livro, já derrubou uma crença e decidiu que em você basta. Mesmo que tenha tentado de tudo e não tenha tido resultados. A cada passo que dá em direção ao que quer, você dá um basta. Se cansou de ficar patinando, esse é o basta. Se cansou de interromper os projetos que davam certo para você, **deu um basta.** As coisas que se repetem em padrões e o impedem de trazer prosperidade para sua vida podem ser quebradas. A primeira decisão é a de comandar sua vida. Dar um basta é pegar o controle da vida e parar de deixar as coisas irem.

Como terapeuta transpessoal, que acredita na integração de corpo, mente e alma, sei que todo pensamento vem enraizado com uma crença, que é aquilo em que você acredita com muita força. Quando você ativa os pensamentos, chegam as crenças limitantes.

Você sente que está paralisado, bloqueado, está sempre empurrando as coisas com a barriga e vai deixando sempre para depois. E vai deixando tudo para o dia seguinte, como se não tivesse energia para fazer tudo. Aí começa a procrastinar – e a mente o sabota, dizendo "depois eu faço". Tudo fica para depois, e você acaba colocando coisas na mente só para se distrair. Muitas pessoas colocam a novela no lugar de algo importante. Nada contra novelas, mas é como a pessoa usa e ocupa seu tempo. Na maioria das vezes, para distrair a mente. Os sintomas de quem tem crenças é se sentir paralisado, incapaz, ou já entrar num projeto sabendo que não vai dar certo. É como uma certeza de que "as coisas não acontecem para mim". É gerada uma energia ruim, dado que a pessoa acredita naquilo antes mesmo de agir. E a ação reflete seu pensamento. As verdades absolutas que vêm antes do pensamento.

Muitas pessoas não conseguem nem arrumar namorado, porque têm crenças limitantes. Outras têm medo de tudo ou até mesmo não conseguem prosperar. Se você tem a sensação de que entra em tudo já desistindo e acha que nunca merece o que chega para você, precisa observar suas crenças. Só para rememorar, crenças limitantes são percepções que regem nossa maneira de ver e agir na vida.

Crenças são interpretações verdadeiras para nossa vida. Para tudo que olhamos com nossa mente, geramos uma resposta. A sua mente traz respostas para tudo. No julgamento sobre tudo aquilo que você vê, entram as crenças, que é tudo aquilo em que você acredita com muita força. Crenças limitantes são pensamentos e interpretações que você toma como verdadeiros, mas que no fundo são falsos. As crenças têm um estado emocional. O estado emocional de certezas. Quando você pensa que aquilo é a verdade, acredita que é assim e ponto-final. Quando permitimos isso, deixamos as crenças limitarem nossas vidas. Existe uma diferença entre pensamento e pensar. O ser humano pode pensar sobre o pensamento. E pensamento é tudo que vem sem que deixemos.

Você deve saber da história do elefante e da corrente. A pata do filhote de elefante é presa numa corrente com um preguinho no circo. E a corrente não o deixa sair dali. Ele cresce e registra na memória que aquela corrente é forte, porque todas as vezes que tentou fugir não conseguiu. E quando já pesa toneladas, nem tenta mais fugir, porque a crença de que a corrente é forte é tão grande que impede que ele tente puxar a própria pata. Isso não acontece mais nos circos, mas essa era uma técnica muito comum e eficaz. Será que você não vive nesse circo de horror? Contando dinheiro para o supermercado, fazendo alguma coisa de que não gosta, relacionando-se com pessoas que lhe fazem mal? Abre um negócio e não vem cliente, tem medo de abrir um negócio, fica pensando que nada vai dar certo...

É como aquela menina que sempre ouvia da mãe, nos almoços de domingo: "Essa é minha filha, ela não vai dar errado!". E aquela crença se instala de tal forma que você tem medo de "dar errado". Se sua mãe diz que você é boazinha, você cresce sem conseguir falar não. Tem medo de dizer não para as pessoas, e vive falando sim para tudo e todos. E vai cuidando de todo mundo e dizendo não para você – e instalando crenças negativas em sua mente.

Essa pessoa vira a "tonta" para os outros a vida inteira e decepciona a si mesma a vida toda. Namora quem os pais querem, quem eles aprovam. Era para estar à frente na vida, mas deixa que os pais digam o que querem. Entende como uma crença pode mudar sua vida? Três tipos de crenças limitantes podem nos impedir de viver. A crença hereditária vem o tempo todo à nossa cabeça. "Ninguém casa bem nessa família", ou "você nasceu pobre, vai morrer pobre", ou "precisa ralar, porque a vida é dura", e até mesmo "acha que dinheiro é brincadeira?". São crenças que eles sustentam, nas quais acreditam, e que vivem repetindo, até que você acredite também. As crenças hereditárias fazem com que você cresça dessa maneira.

Há também as crenças pessoais que são instaladas em seus pensamentos. Elas se repetem a partir de exemplos. A crença é um colapso emocional muito forte que vem à mente. E muda tudo na nossa energia, porque muda a química das células. E isso cria um registro. Imagine uma pessoa que namora durante seis anos, e então descobre uma traição, e aquilo a choca violentamente. Ali se instala uma crença "homem nenhum presta" ou "não posso confiar em ninguém". Essa pessoa, a partir de uma experiência, cria uma crença pessoal.

Sabia que, durante muito tempo, bastante gente nem tomava manga com leite, porque achava que morreria? Isso vem da época da escravidão; os escravizados não podiam tomar leite, porque era caro – e eles tinham muita manga. Então, os senhores diziam a eles que não podia misturar. Aquilo ficou registrado por gerações.

A crença tem muita força no seu pensamento, já que tudo que você pensa é gerado com força na mente. Algumas pessoas que você conhece estão o tempo todo com medo de serem demitidas. Porque isso já aconteceu uma vez, e elas ficaram em um estado emocional ruim que as deixou assim. Então, chega de "quase dar certo". Até mesmo eu acreditava que não podia vender e, quando falava dos meus cursos, não me permitia vender. Foi quando me lembrei de quando eu trabalhava na feira e algum freguês perguntava o preço e não comprava; meu pai dizia que eu não era um bom vendedor. Esse "você não é um bom vendedor" ficou marcado na minha mente durante muitos anos. Até que entendi naquele momento que eu podia, sim, vender.

Aquela voz ecoava na minha mente de tal modo que eu não sabia nem cobrar pelas palestras que fazia. Só que, quando descobrimos o nosso valor, paramos de dar desconto. Se existem crenças limitantes ecoando dentro de nós, ficamos alimentando aquele estado internamente. Quando meu pai atravessava o cliente e finalizava a venda para me mostrar como se fazia, ele também reforçava a crença de que eu não era capaz.

Outra crença muito comum é ficar doente para ter atenção. Muitas pessoas acreditam que ficar doente para ter atenção das pessoas é efetivo, e ficam mendigando atenção o tempo todo, criando doenças físicas ou imaginárias para ter a atenção das pessoas. Você deve conhecer alguém assim, ou até mesmo já pode ter percebido isso. Se acha que não vai ser aceito do jeito que é, por exemplo, essa é uma crença social. E se repete que o Brasil está em crise o tempo todo, é uma crença social. O "tá difícil" é comum e faz com que as pessoas se reúnam em torno de um objetivo: que os resultados sejam difíceis de verdade.

Você deve estar se perguntando: mas como desativo essas crenças? Como parar de acreditar que "quanto maior a subida, maior a queda", "se melhorar, estraga", ou "felicidade de pobre dura pouco" e até mesmo "quando a esmola é demais, o santo desconfia"? Já ouviu tudo isso?

A felicidade bate à nossa porta o tempo todo, mas não giramos a maçaneta para abrir.

É possível ser feliz, se conectar com outras pessoas, ganhar dinheiro com o que se gosta, criar prosperidade para si e para outras pessoas. A TÉCNICA EXPRESS vai ajudá-lo muito nesse momento.

Responda a estas perguntas para fazermos uma reprogramação mental.

1. O QUE VOCÊ MAIS QUER NA VIDA?

Pense num objetivo claro. Se o objetivo é "ser rico" – um objetivo claro, por exemplo, por que você não tem isso ainda?

_____

_____

_____

_____

Resposta de exemplo que vem à sua mente: "Porque sou muito velha". A segunda etapa é o falso elástico mental.

2. O QUE PRECISA SER VERDADE PARA AFIRMAR ISSO? (QUE NÃO É RICA PORQUE É VELHA)

_____

_____

_____

_____

Em mim basta!

A sua crença é de que pessoas mais velhas não podem ser ricas. Essa pessoa pode entender e ressignificar sua crença observando de onde veio essa afirmação.

Ela pode observar como pessoas com mais de sessenta anos conseguem começar, porque já têm experiência de vida e sabedoria. E instalar novas crenças.

Conhece alguém que conseguiu o objetivo que você quer? "O que posso fazer de diferente?" ou "O que posso pensar de diferente?" Dessa forma, você tira o medo, que é emoção fruto da crença de que algo ruim acontecerá no futuro. Quantas vezes você não ficou com medo de tudo estar bom e você estar feliz?

Vamos mudar essas crenças que o impedem de prosperar a partir de agora.

ANTES DE OUVIR A MEDITAÇÃO que preparei para você na minha voz, quero que escreva uma CRENÇA FORTALECEDORA agora aqui! Uma frase tão poderosa que, ao ler e sentir, você dará um salto quântico de tanta energia concentrada.

_____

_____

_____

_____

_____

_____

_____

Meditação *guiada*

Aponte a câmera do seu celular para o **QR Code** e ouça uma meditação guiada para limpeza de medos, traumas, depressão e ansiedade, na voz de **William Sanches.**

Capítulo 9

FELICIDADE ATRAI FELICIDADE

> O pensamento é energia. O pensamento ativo é energia ativa; o pensamento concentrado é uma energia concentrada. O pensamento concentrado em um propósito definido torna-se poder.
>
> - Charles Haanel

Pouca gente sabe, mas a química do nosso corpo muda quando pensamos e sentimos coisas felizes.

Se estamos felizes, o sentimento de felicidade cria em nossa volta uma energia de felicidade, alegria, entusiasmo e motivação – palavras que fazem com que a gente produza essa vibração e energia. E, se estamos com energias boas, nossos objetivos são atingidos muito mais facilmente.

Nossa energia vai emitir ondas captando mais dessa realidade. Nosso pensamento governante (aquilo que pensamos mais) é o que cria nossa energia.

Conforme vamos encontrando pessoas ao nosso redor, vamos trocando nossa energia e mudando nossa vibração e criando pensamentos.

Conforme criamos pensamentos positivos, não deixamos que os pensamentos ruins se tornem os pensamentos governantes. E, se não cuidamos desses pensamentos, nosso pensamento governante é que vai construir nossa realidade.

Se sabemos quais nossos objetivo e meta, sabemos o que queremos e aonde queremos chegar, mas, se o pensamento governante for de escassez, dor, medo ou qualquer exemplo ruim, o sentimento predominante será de vibração para baixo.

É por isso que muitas pessoas crescem num ambiente em que o pensamento governante da casa é um, e elas lutam conscientemente para sair desse pensamento – e muitas só conseguem se libertar na idade adulta.

Mesmo assim, sentem-se culpadas quando não experimentam o pensamento governante da família.

Uma aluna dizia que achava que estava traindo a família quando viajava ou desfrutava de seu dinheiro. Ela era próspera, tinha saúde, e seus pais estavam sempre preocupados com dinheiro e doença. Ela tinha demorado muito para sair daquele pensamento governante e eliminar o padrão mental que não funcionava, mas, sempre que experimentava coisas boas, era como se devesse algo para eles, e tentava compensar de alguma forma.

Dar um "em mim basta" é criar um hábito, criar um caminho neural. Possivelmente você está há mais de trinta anos com um pensamento governante e de repente quer mudá-lo. E o segredo é criar um, sem insistir com o caminho neural antigo.

Temos que fluir.

Olhando sempre o lado bom das coisas.

Se você olha sempre o lado positivo das coisas, quando fura o pneu do carro você não pensa no quanto vai gastar; pensa que pode ter sido algo que o livrou de uma coisa pior, e resolve.

A atitude gerada é muito diferente, e essa atitude diz muito sobre você, seu pensamento governante e seu programa neural.

Assim que você começa a investigar seus pensamentos, instala novos hábitos.

É interessante que temos de visualizar sempre o que queremos ganhar na vida instalando novos hábitos. Se queremos saúde mental, o que ganhamos com isso? Precisamos de exercícios físicos mais constantes, alimentação mais equilibrada, fazer meditação. Teremos ganhos constantes. Mas vamos perder algo? O que perderíamos com isso?

Muitas vezes as perdas são muitas. Tem gente que acredita que, quando fala que está tudo bem, não tem atenção. Se essa pessoa ganha atenção por estar doente ou se recebe visitas por isso, continua insistindo nos hábitos antigos, porque só assim recebe atenção dos pais.

Você já deve ter recebido mais atenção dos seus pais, quando criança, quando estava com febre. Algo em sua programação mudou ao perceber que eles eram mais atenciosos com você nos períodos ruins. Sua programação está voltada para se sentir mal e ter atenção. E, quando está bem, tem medo de perder tudo isso.

Seu inconsciente lhe traz boas lembranças dos períodos de doença. Inconscientemente, você tem benefícios na dor. E aí você boicota sua felicidade.

Tem gente que não cura assuntos no inconsciente e não avança. Sai do buraco e volta. E é primordial perguntar a sim mesmo: o que eu comunico com meus pensamentos, atitudes e comportamento? O que seu pensamento governante quer dizer sobre você?

Nós somos um texto vivo.

Nosso comportamento traz muito sobre o que somos, e o Universo lê nossa energia e nos manda mais daquilo. Mas que comandos estamos enviando quando pensamos em dinheiro, em saúde, em felicidade? Será que essas palavras estão relacionadas a algo positivo em nossas vidas?

Meu pai sempre trabalhou com escassez. Ele priorizava o sacrifício, a dor, e me fazia acreditar que ganhar dinheiro era difícil e precisava ser doloroso. Conforme cresci, percebi que ganhava dinheiro com muita facilidade e tive um conflito interno. Aceitar que as coisas fluíam para mim era como dizer que meu pai estava errado. E é difícil entender e aceitar que nossos pais possam ter nos fornecido informações equivocadas.

Eu mesmo precisei fazer um trabalho interno muito forte para aceitar que estava tudo bem receber dinheiro de forma simples, fazendo o que eu gostava em paz e com tranquilidade.

Hoje minha empresa é próspera, invisto muito, recebo dinheiro e tenho bem-estar social e profissional. Mas vencer esse bloqueio interno foi necessário para entender que eu só ganharia dinheiro se parasse de acreditar naquele padrão do meu pai, que tinha as crenças dele de acordo com sua vivência limitada.

Se a sua avó não o deixava rir demais porque depois ia chorar, entenda de que forma uma simples frase pode impactar sua vida e instale um novo pensamento para que ele se torne um sentimento e uma vibração. Todo pensamento vira um sentimento, que vira uma vibração.

Quando você pensar, vibrar, sentir em abundância, a vibração atrai mais daquilo que você vibra. E é natural que você atraia mais daquilo que estiver vibrando.

Quem pensa em doença sente que está doente, vibra doença e acaba se envolvendo com pessoas que só falam disso.

Quem está voltado para a prosperidade, a saúde, a alegria e o entusiasmo acaba atraindo situações mais benéficas. No entanto, acaba saindo do círculo social em que estava, e isso pode significar uma perda.

Se você não está disposto a deixar aquele círculo de amigos que estão sempre presos nas crenças limitantes, provavelmente vai sempre reproduzir o mesmo pensamento e sentimento deles. E, se eles acham que a vida é difícil, é assim que você vai enxergar a vida.

O fato é que, ao dar um basta num círculo vicioso, você interrompe um padrão de pensamento seu e para de emitir aquele sentimento para o Universo e para as pessoas que o circundam. Dessa forma, quebra um ciclo e cria uma espiral de sucesso. Uma espiral positiva, contagiando as pessoas, ao invés de contaminá-las.

O pensamento positivo é instalado, e você deixa de acreditar nos pensamentos limitantes que o governavam e eram moldados por crenças antigas de seus pais, avós e amigos de infância.

Se uma pessoa chega para você num churrasco e fala da crise, e você entra naquela energia, ambos fazem um colapso negativo, e, sem perceber, você entra nessa negatividade.

Por isso, é preciso saber com clareza o que se quer. Primeiro nós somos, depois atraímos. Em primeiro lugar, nos aprimoramos naquilo que queremos ser.

A pergunta inicial é: o que você ganha como ser humano sendo aquilo que quer se tornar? Se quer ser um escritor, o que ganha com isso e o que isso acrescentaria na sua alma?

Não se esqueça da sua intenção. Porque às vezes brigamos com Deus e com nosso íntimo, e depois entendemos que não era aquilo que queríamos. Insistimos em algo que não está condizente com nossa realidade interna.

Querer a fama é pelo seu ego ou é a sua intenção?

Falo de prosperidade em meus canais e não vejo nada errado em ficar milionário com seu talento, mas veja o porquê de querer o que quer. Você está atrás de um sonho seu ou de sua família?

Nosso comportamento diz muito sobre as respostas que mandamos para o Universo. Nossa energia vai, e o Universo emite uma resposta.

Conforme temos determinados comportamentos, o Universo emite de volta um recado. Se temos desleixo e desorganização com nossas coisas, temos desinteresse no que possuímos.

Uma bolsa bagunçada, por exemplo, denota desinteresse naquilo que a pessoa conquistou, e isso atrai escassez. É um comportamento de desleixo, desorganização e escassez que não condiz com a prosperidade.

Não conseguimos trabalhar prosperidade e energia positiva se temos comportamentos antiprósperos. Um ambiente bagunçado, por exemplo, pode emitir uma energia de desordem, e aquilo cria uma energia contrária ao que você quer.

Como terapeuta, atendi muitas vezes pessoas que eram acumuladoras. Pessoas que passaram por períodos de escassez e tinham a sensação de que precisavam acumular para ter mais daquilo. Tais pessoas não conseguem desapegar-se de coisas que estão guardadas.

Já viu pessoas que vivem em quartos bagunçados? Esse ambiente emite uma linguagem para o Universo. E esse quarto emite uma informação para o Universo.

É desinteresse, desleixo e escassez.

Muitas pessoas não se interessam em cuidar daquilo que têm e não recebem mais porque não cuidam do que têm.

Quando você não cuida das suas coisas, pode não perceber, mas a intenção que emite é essa. Quem quer ter prosperidade precisa ter uma nova intenção e deixar os hábitos antigos.

Existe algo poderoso no poder da intenção.

E é disso que vamos falar no próximo capítulo.

Capítulo 10
O PRATO QUEBRADO

> " O entusiasmo é a maior força da alma. Conserva-o e nunca te faltará poder para conseguires o que desejas. "
> - Napoleon Hill

Quantas vezes você usou copo de requeijão no dia a dia e guardou o copo bonito para quando vem visita? Quantas vezes usou um prato quebrado e só tirou a louça bonita quando recebeu alguém em casa?

Guardar o mais bonito para quando vem visita é parte de uma crença hereditária. Se vemos nossos pais fazendo isso, reproduzimos esse comportamento sem perceber. E usamos o copo de requeijão todos os dias.

Esse hábito comunica ao Universo que você não confia num amanhã próspero.

Na minha casa, não tenho nada para visita, porque uso sempre o mais bonito. E o que comunico é que o melhor é para mim e que confio num amanhã próspero.

Toda essa linguagem mostra que você acredita que o novo e o melhor não são para você. E VOCÊ DIZ, em outras palavras, que o melhor é para os outros. Isso cria uma crença de que não merece o melhor. Usa as roupas novas só nas festas, dá as melhores coisas para as pessoas e não cria nada de bom para você.

Nas festas de fim de ano, o mantra das lojas é "arrume a sua casa para o Natal", como se fosse necessário ter a casa limpa só para receber alguém – assim como quando você faz faxina para receber as pessoas em casa: não engana o Universo, não; engana a si mesmo.

Isso comunica um sentimento de não merecimento, e, quando comunica isso, você diz ao Universo que não pode receber coisas boas. Para comunicar ao Universo que só aceita o melhor, não bastam apenas pensamentos e palavras, é preciso também atitudes. Sabe quem tem dinheiro e não gasta porque tem intenção de escassez? Cuidado com isso, porque você merece o melhor.

Em 1982, dois pesquisadores, chamados James e George, criaram a teoria das janelas quebradas. Eles perceberam que prédios malcuidados e abandonados recebiam dos vândalos mais pedradas. Prédios bem cuidados e limpos não recebiam pichações nem levavam pedradas nas janelas. A teoria mostrou que, quando um prédio estava malcuidado, mais coisas ruins vinham para ele, como se as pessoas tivessem o direito de fazer aquilo.

Sabe quando a pessoa vai a um banheiro sujo, nojento e cheio de papéis no chão? Você tem medo de ficar ali e quer sair correndo. Algo diferente acontece quando você está num banheiro limpo, bonito, numa casa chique e bonita.

A teoria das janelas quebradas é a mensagem que enviamos para o Universo quando não nos arrumamos, quando compramos as coisas da pior marca, para economizar. Isso tudo é uma mensagem para o campo eletromagnético. E todos temos esse campo ao nosso redor. Só que podemos reprogramá-lo, e a inteligência que temos pode reprogramar o que pensamos.

Se você pode pensar sobre seu pensamento e mudar seu sentimento, tudo aquilo que você pensa e sente cria uma intenção ao redor do seu campo. A intenção do prato quebrado na sua mesa é a materialização disso.

Se nosso pensamento governante é de que o "mais ou menos" está bom na sua vida, é essa comunicação que você vai passar para o Universo, e isso é o inverso do comportamento da riqueza e da prosperidade. A escassez se materializa ao seu redor se você cria um campo ruim à sua volta.

Qual campo você acha que cria à sua volta? Pergunte ao seu corpo qual energia você produz em torno de si. Se sentir uma resposta no seu corpo, anote. Se o seu corpo lhe comunicou uma energia de tristeza, por exemplo, e você entende que essa tristeza não é o que quer manifestar, observe qual campo positivo você pode criar à sua volta para interromper esse ciclo de tristeza. Que ação você precisa tomar para sentir alegria? Essa ação será aquilo que vai interromper um hábito.

Você deve estar pensando: "Ah, mas seria fácil se eu não morasse com minha mãe, que vê coisas negativas em tudo!". Pois é. Por isso este livro se chama *Em mim basta!*. Se você perpetuar o campo de sua família, nenhuma mudança irá acontecer, e é por isso que você está sendo convidado para interromper esse ciclo.

Talvez você já tenha ouvido falar da Lei do Vácuo. Se você deseja algo em sua vida, comece criando um vácuo para receber. Em outras palavras, livre-se do que não quer mais para criar espaço para o que deseja. Você precisa de espaço para receber as novas bençãos.

A vida nos traz benefícios, mas, quando estamos envoltos no sentimento de não merecimento, não conseguimos enxergar nada disso. Na prática, você precisa limpar algumas coisas pela raiz. E parar de insistir nas coisas que não dão certo para você.

Não adianta continuar insistindo em pessoas tóxicas que enchem sua vida de reclamação ou retiram coisas de você, e até mesmo inserem crenças ruins na sua mente. Emocionalmente você precisa fazer uma limpeza para que o vácuo aconteça. E lidar com as pessoas tóxicas é primordial. Para isso, é importante entender que cada um é cada um. Você pode mostrar para sua mãe que seus resultados funcionam de acordo com a maneira que você pensa. Isso não quer dizer que você precisa eliminar sua mãe da sua vida.

Outra coisa importante é parar de criar desculpas para não fazer aquilo que lhe traz coisas novas. No fundo você sabe que está mentindo para si mesmo e só quer permanecer na almofada do conforto. As desculpinhas esfarrapadas são como a procrastinação.

É preciso deixar o pensamento negativo de lado e o julgamento do outro acerca de suas intenções. Mesmo que sejam pessoas que você ama.

Uma colega de trabalho certa vez fez um *test drive* com o carro que queria muito comprar. Ela estava prestes a comprar quando seu pai disse que ela não precisava de um carro daqueles, já que lhe daria muita despesa. Ela deixou de comprar o veículo e deu razão a ele, porque o julgamento de seu pai era muito forte em sua vida. Se ele não aprovasse aquela compra, ela não conseguiria concretizá-la – mesmo sendo maior de idade e tendo o próprio dinheiro.

Quantas vezes você não deixou as pessoas ditarem as regras da sua vida por medo? Quantas vezes o medo das pessoas não invadiu sua vida? O medo do que as pessoas falariam, o medo do desconhecido... Os medos das pessoas são tantos que deixamos que eles penetrem em nós mesmo quando não queremos.

Claro que o medo pode fazer com que tenhamos cuidado com certas coisas, mas existe um medo que é criado em nossa vida com base em tudo que a gente pensa e vivencia.

Coragem não é a falta de medo: é o enfrentamento do medo. E por isso trabalhamos a coragem diariamente.

O comportamento da riqueza está intimamente ligado às nossas crenças.

Só para você ter uma ideia, frases são treinos. Frases que você usa ao dormir podem reprogramar sua mente. E você pode até ouvir áudios enquanto dorme para reprogramar sua mente.

Você precisa criar um padrão.

Você poderia ter um cargo melhor na sua empresa, mas seu medo fez com que se limitasse. Você gostava de alguém, e o seu medo vai tirando a oportunidade de falar com ele. Se a oportunidade veio e você não a aproveitou, ela foi para a mão de outra pessoa.

Aceitar o melhor é se despir dos medos, das crenças hereditárias, encarar a vida com tudo aquilo que você merece.

Para QUE ou para QUEM você grita hoje EM MIM BASTA?

_____

_____

_____

_____

Capítulo 11

CORTAR as pessoas da minha vida SIGNIFICA que me respeito

> "O homem deve formar uma imagem mental clara e definitiva das coisas que ele deseja ter, fazer, ou a tornar-se; e ele deve manter esta imagem mental em seus pensamentos, sendo profundamente grato ao Supremo que todos os seus desejos são concedidos a ele."
>
> - Wallace D. Wattles

Milhares de mentes brilhantes deixam de criar todos os dias porque disseram a elas "você é burro".

Milhares de corações cheios de amor para dar e compartilhar deixam de acreditar em um relacionamento porque um dia ouviram "homem nenhum presta, mulher é tudo interesseira, cuidado!".

Milhares de Mentes Milionárias deixam de ser o que vieram para ser porque um dia ouviram que "ter carteira assinada e aposentar-se no fim da vida é o que vale a pena". Conheci muitos que ainda afirmavam "não vou abrir nenhum negócio, porque sócio sempre rouba a gente".

Se eu acredito, vejo, se vejo, acredito mais ainda, e esse ciclo negativo precisa ter um BASTA!

Escrevi essas palavras na introdução deste livro e as repito aqui para reforçar aquilo em que acredito. Quanta limitação nos foi colocada na mente, e agora temos a certeza de que não somos capazes. Pessoas que acreditaram que não tinham dons e capacidades, ou que não podiam ganhar dinheiro com aquilo de que gostavam.

Pessoas que deixavam o trabalho cada vez mais chato para confirmar a crença dos pais de que trabalho é algo pesado e duro. Pessoas que tinham amorosidade, mas não eram capazes de derramá-la sobre as outras porque acreditavam que quem tinha bom coração era passado para trás.

Pessoas que deixaram uma vida passar porque não conseguiam acreditar em si mesmas, porque só ouviam discursos de pessimismo. Pessoas incapazes de ver o lado bom da vida porque seus pais não tiveram ousadia de bancar os próprios sonhos.

Não é culpa delas. Mas elas reproduziram palavras com a intenção de protegê-lo de algo. Esse excesso de proteção pode tê-lo deixado alarmado, com medo, ou até mesmo feito você boicotar a si mesmo para confirmar as crenças deles.

A verdade é que, ao longo da vida, vamos fazendo novas amizades, e nem sempre essas amizades estão sintonizadas com aquilo que queremos. Porque nos sentimos seguros no ambiente onde todo mundo reclama junto, não dá certo junto, adoece, vai à falência, está quebrado. Por pior que aquele ambiente possa parecer, ele pelo menos confirma que as crenças que seus pais lhe transmitiram podem estar certas, e você se sente em paz, afinal, aquela sensação à noite de que você não teve coragem para fazer algo que queria é indigesta demais.

Mas então você começa a desvendar novos horizontes e a perceber que existe um universo de possibilidades. Pessoas que prosperam, que cuidam da saúde, que vivem com alegria e que espalham prosperidade. E aquele mundinho em que você estava começa a ficar pequeno demais para você.

Você quer voar.

Só que as amizades que estão condicionadas às conversas sobre como a vida é difícil, as reuniões em churrascos onde todo mundo só bebe, se alimenta mal e fala da vida alheia parecem não fazer muito sentido. E você começa a entender que está no meio de um ambiente tóxico.

Afinal, por qual motivo elas falam mal daqueles que prosperam? Daqueles que agem? Por trás daquelas palavras carregadas de inveja, existe uma inércia. E por trás dos exames que fazem, há um hábito ruim, descuido com a alimentação, com a rotina de sono, com o bem-estar em geral. É uma autossabotagem constante.

Aí você decide quebrar o ciclo. Começa uma academia, novos hábitos de vida, alimentação consistente e saudável, rotina de sono, percebe que se sente melhor, frequenta lugares mais bacanas, e aquelas pessoas parecem não fazer mais parte do quadro de seus melhores amigos, porque não combinam mais com você.

Certo dia você percebe que está na boca do povo.

Eles estão julgando seu comportamento. Você saiu da manada e está sendo criticado por isso. Estão dizendo como você mudou, que deve ter ficado rico, porque se esqueceu dos pobres. E, ao invés de se inspirarem nas suas atitudes, começam a depreciar seus hábitos.

Seja forte nesse momento!

Não tem nada mais forte que ser você mesmo nesse momento!

Você então entende que não quer fazer parte daquele círculo de amigos. Não agregam nada em sua vida. Você quer crescer, quer falar sobre possibilidades, novas coisas, ter hábitos mais adequados. E sua vida não combina com o estilo de vida que eles perpetuam.

Então, corta aqueles laços. E se sente bem com isso. Esse "basta" o faz perceber que tais pessoas não estão dispostas a sair do lugar. Elas estão ali para fazer com que todos continuem acorrentados.

O tempo passa, e você evolui. Deixa de se sentir limitado e não entende como um dia convivia com eles. Mas só é capaz de enxergar isso porque saiu daquele círculo de amizades e pôde enxergar de fora o quão tóxicas eram as amizades que o mantinham gordo, infeliz, pensando em escassez, doença, problemas e tudo que podia estar na roda de reclamação.

Você percebe que a vida pode ser moldada de acordo com novos valores e passa a pautá-la de acordo com tais valores. E entende que sua mente funciona melhor com alimentação adequada. Não adianta querer mudá-la se continuar frequentando rodas de conversa em que todo mundo só enxerga problema e ninguém quer solução.

Cortar relações é a parte mais difícil do "em mim basta", porque podemos até nos distanciar dos amigos, mas da família dificilmente teremos facilidade de fazê-lo. No entanto, dá para cortar relações próximas e continuar convivendo amorosamente numa distância saudável com tais membros da família que reproduzem conceitos que você cansou de ouvir.

Por exemplo: tenho uma aluna que adorava uma prima "viciada em doença". Ela se sentia bem e cuidada pela prima porque ela gostava de falar sobre tudo, tinha diagnósticos na ponta da língua e certo prazer em falar sobre catástrofes. Tinha um remédio para cada doença, sabia a bula de tudo. Receitava sem ser médica.

Então, minha aluna começou a estudar mais e perceber o quão tóxicas eram as conversas com a prima. E passou a perceber que, quando ligava para ela, conseguia "desligar" a mente e deixar a prima falar sem ser influenciada por ela ou concordar com o que ela dizia, "dando corda" para as falácias da prima. Ela passou a se respeitar e não querer reproduzir um comportamento tóxico de olhar para as coisas ruins.

Você pode fazer isso a partir de agora. Uma espécie de detox de conversas, pessoas e lugares que atrasam sua vida. No começo vai parecer estranho, vai sentir um pouco de falta das conversas, mas logo as coisas mudam. Você vai ver como sua vibração fica completamente diferente depois disso. O fluxo natural das suas coisas muda muito.

É como uma árvore pesada, cheia de galhos secos que não caem, o vento não derruba e que permanecem lá pesando mais e mais a árvore que não consegue crescer.

Para começar, as conversas. Fique atento ao que é dito e como as coisas são ditas nos ambientes que frequenta e passe a eliminar as conversas ruins do seu repertório. Não concorde com frases feitas só para parecer simpático. Elimine os discursos pela raiz e traga uma nova possibilidade.

Depois disso, observe como estão as pessoas no seu círculo social. Quais seus hábitos, como prosperaram na vida, em que acreditam? Isso vai lhe dar uma dimensão exata de como elas pensam. Não adianta pegar conselho com a tia que nunca mudou de emprego se você deve empreender. Ela certamente decide as coisas pautada nos valores e crenças dela.

Em terceiro lugar, observe que lugares está frequentando. Eles condizem com o que quer para sua vida no futuro? Ou você está atrasando sua vida?

Corte hábitos, comportamentos, palavras, atitudes, tudo aquilo que estiver indo contra aquilo que quer para sua vida. Depois disso, entenda como as correntes podem começar a afrouxar, e você vai se sentir mais livre para dar o próximo passo.

Capítulo 12

"JÁ VI esse filme"

> Se você pensa que é um derrotado, você será derrotado. (...) Mesmo que você queira vencer, mas pensa que não vai conseguir, a vitória não sorrirá para você (...)
>
> - Filosofia do Sucesso

A avó sempre dizia para ela, quando surgia um novo namorado: "Já vi esse filme". A avó tinha sofrido com um único casamento, e sua referência de relação era aquela. Logo, quando a neta trazia uma nova história de amor e algo não dava certo por qualquer razão, a avó repetia: "Já vi esse filme". Sem entender ao certo que filme era esse, a mulher passou a acreditar que relacionamentos não davam certo e que homens não prestavam. Assim, tornou-se a tia solteira da família. Aquela de que todo mundo gostava, mas "que não dava certo com homem nenhum", como diziam.

Ela tentava de tudo, mas nunca conseguia que os relacionamentos dessem certo. Quando começava a dar certo e alguma pista apontava para algo ruim, ela pensava: "Já vi esse filme". E terminava o relacionamento antes que algo acontecesse.

O fato é que ela sabotava as relações para que sua avó tivesse razão. Nenhum relacionamento poderia dar certo. Homens não prestavam. Como ela teria o direito de ser feliz se sua ancestral tinha sofrido tanto? Até a culpa a atacava quando estava começando a dar certo na relação.

As palavras têm poder, e, quando ditas por pessoas que amamos, esse poder é triplicado.

Agora gostaria de trazer uma nova reflexão: será que você não reproduz discursos que seus avós traziam?

Você pode estar em um círculo supernegativo sem perceber que está.

Veja este esquema que montei para você perceber isso.

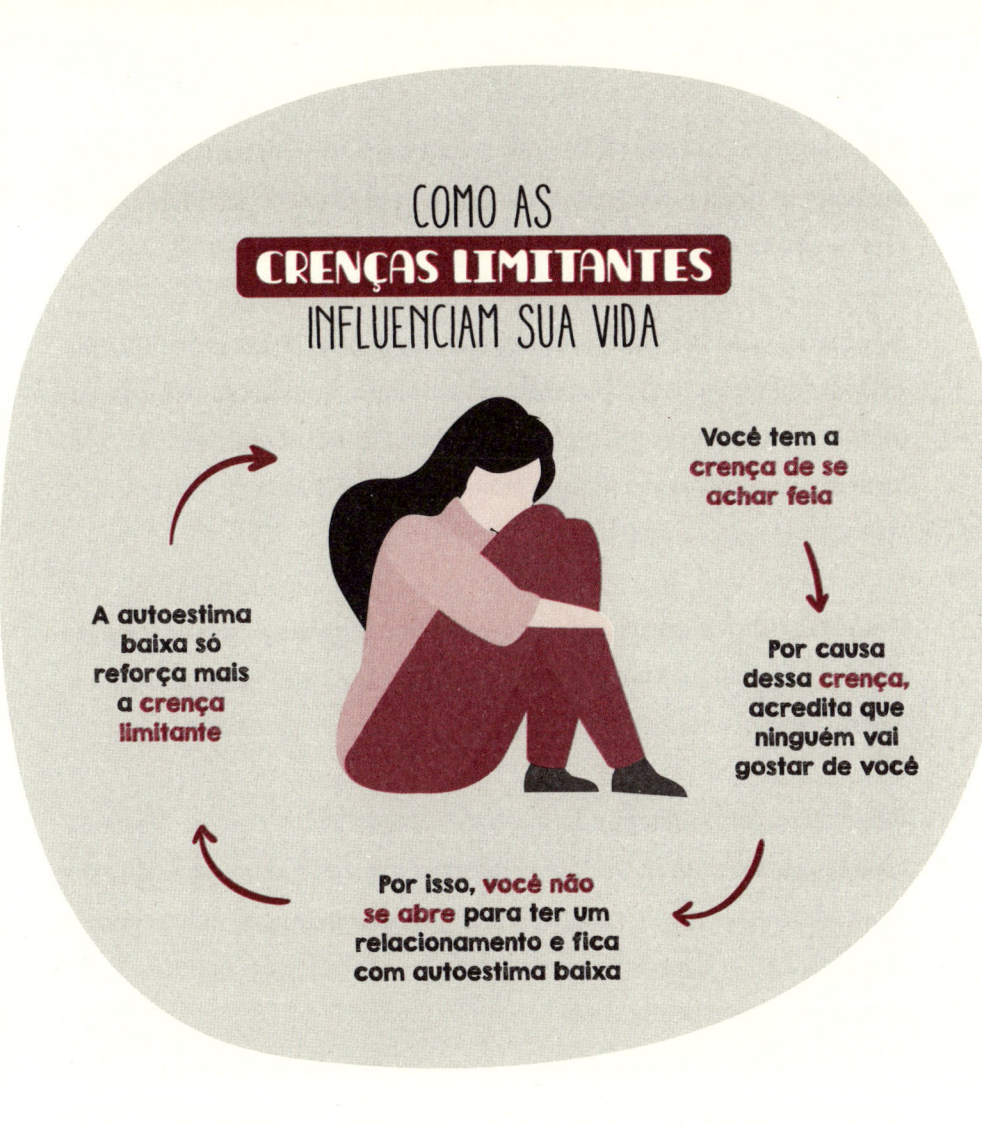

COMO AS CRENÇAS LIMITANTES INFLUENCIAM SUA VIDA

- Você tem a **crença de se achar feia**
- Por causa dessa **crença**, acredita que ninguém vai gostar de você
- Por isso, **você não se abre** para ter um relacionamento e fica com autoestima baixa
- A autoestima baixa só reforça mais a **crença limitante**

Será que seus filhos não estão sendo contaminados por uma série de crenças que não fazem o menor sentido? As palavras, por mais inofensivas que possam parecer, às vezes produzem um estrago terrível.

Por amor aos pais e avós, crianças aprendem aquilo que é dito como uma lei universal. E nem sempre estão aptas a esquecer o que foi dito, principalmente porque foi dito como uma afirmação que as protegia. Essa afirmação muitas vezes produz um efeito colateral, mantendo a pessoa em um círculo negativo.

O que quero trazem neste livro é que dar um basta não é simplesmente deixar de conviver com tais crenças. É eliminar de seu discurso as novas crenças abusivas ou absurdas que você criou no seu repertório diário.

Já vi mulheres dizendo para as filhas coisas que nem tenho coragem de repetir neste livro, já ouvi tantas histórias em consultório que dariam uma planilha gigantesca de crenças e mais crenças limitantes. E as frases que você diz estão printadas na mente de seus filhos. Muitas delas você disse sem nem entender o porquê. Mas deixou escapar.

Portanto, observe o seu discurso com seus filhos. Mesmo que você não seja pai ou mãe, você tem sobrinhos, alunos, seguidores nas redes sociais, colegas de trabalho, primos etc. Você emite aquilo que ouve e em que acredita.

Não basta apenas eliminar as crenças e interromper em sua vida esse ciclo de autodestruição das possibilidades. É preciso fazer com que seus descendentes entendam que a vida pode ser próspera, que tudo vem com facilidade, que a felicidade é algo benéfico e que não devem temer a vida como se fosse algo ameaçador.

Essa jovem que dizia "Já vi esse filme" mentalmente estava preparada para o fracasso das relações. Como ela teria um relacionamento bem-sucedido se tinha certeza de que acabariam mal? Como se o final do filme sempre fosse uma tragédia? Por mais que se esforçasse conscientemente para que as relações dessem certo, seu inconsciente lutava com todas as forças para que a relação não prosperasse. E quem consegue ser feliz com uma mente dizendo baixinho "ah, o final desse filme não é feliz"?

Tenho uma amiga que tem uma irmã tóxica. Essa irmã é mais velha e não consegue admitir que a mais nova faça tudo aquilo que ela tinha vontade de fazer. Então, sempre que ela tem oportunidade, solta o que chamo de "bombas de efeito moral" na cabeça da outra. Ela diz que a menina "se veste como prostituta", que é oferecida, que é cafona, que não sabe se portar, que está feia. Faz de tudo para que a autoestima da irmã mais nova seja atacada.

A irmã mais nova, apaixonada pela mais velha, acaba acatando aquelas palavras e, quando está "vestida para matar", coloca um casaco, porque a voz da irmã fica ecoando em sua mente. Se está sendo corajosa, feliz e confiante numa relação, pensa que é "oferecida", e, se se diverte numa festa, logo imagina que não está sabendo se portar. A verdade é que a irmã implantou um chip na mente dela, e ela tenta escapar daquilo, mas tem um juiz interno arbitrando o que ela deve ou não fazer.

Imagine quantos juízes existem dentro da sua mente. Eles lhe dizem o quê? Toda vez que você se diverte, eles estão sabotando sua felicidade para que você se sinta culpado? Ou criando possibilidades de que você esteja sendo irresponsável? Já vi muita gente frustrada com a vida descontando frustrações nos outros para acabar com a felicidade alheia. Isso é comum, e as pessoas invejam, sim, a felicidade alheia, porque aquilo escancara como a vida delas está fora do trilho.

E não tem problema nenhum escancarar sua felicidade para os outros. O que tem problema é acolher os discursos de que essa felicidade "uma hora vai acabar" ou se autodestruir para confirmar uma desgraça anunciada por alguém que tem as próprias crenças e não viveu o que você viveu.

Pegue sua história pela mão, escreva um novo roteiro e elimine tudo aquilo que traz atraso. Se o discurso da avó ainda ecoa na sua mente, dê um basta nisso. Se o discurso de sua irmã está ali alimentando algo que não condiz com sua vida atual, dê um basta nisso.

Você precisa entender que o seu destino será feito por você e que, embora cada um acredite em algo, suas crenças é que farão com que você construa sua história de sucesso ou fracasso. A mente é poderosa demais, e ela pode determinar muitas coisas na sua vida. Não adianta fazer de conta que você está à mercê do destino. Você é capaz de fazer seu destino a partir de agora.

Chega de medo de viver. Chega de dar ouvidos às vozes que ficam ali fazendo com que você acredite em fantasias absurdas. Chega de querer falir, de querer adoecer, de querer dar errado nas relações para que seus pais, avós, irmãos não estejam errados. Você pode dar um basta nisso tudo. Pode e deve, a partir de hoje, implementar uma nova programação mental e crenças que fortaleçam aquilo que quer encontrar.

Se está disposto a se divertir, pode inserir alegria na sua vida sem culpa. Isso faz bem ao cérebro, muda a química do seu corpo e o faz atrair ainda mais situações benéficas para sua vida. Se está disposto a ter um relacionamento legal, abra o coração, escancare suas vontades e desejos, esteja disposto a amar sem medo.

Se está encantado com a possibilidade de um novo projeto, dê asas aos seus sonhos, à sua criatividade; você pode e deve ser feliz no trabalho e ganhar dinheiro com aquilo que gosta de fazer. Não há crime nisso. Não é só porque seu pai sofreu à beça para levar comida à mesa que você deve reproduzir esse padrão para honrá-lo.

Dar um basta nos comportamentos, palavras, atitudes abusivas faz com que você viva uma vida muito mais alinhada com aquilo que quer para si. Seus desejos, sonhos. Tudo está a sua espera. Basta que você esteja disposto a se soltar dessas correntes mentais que o limitam o tempo todo.

Capítulo 13

CRENÇAS boas X CRENÇAS limitantes

> "Toda pessoa bem-sucedida que conheço tem a capacidade de permanecer centrada, com clareza e força no meio de tempestades "emocionais". Descobri que a maioria desses indivíduos tem uma regra fundamental: nunca dedicar mais de 10% de seu tempo ao problema e sempre gastar pelo menos 90% de seu tempo com a solução."
>
> - Tony Robbins

Outro dia, numa reunião, sem perceber soltei que "o olho do dono engorda o gado". Essa máxima é ouvida o tempo todo e reproduzida sem que notemos. Às vezes escapa da boca. Mas o que está por trás de tais afirmações?

Sempre gostei de trabalhar. Hoje tenho o privilégio de trabalhar de casa, gravar meus vídeos e escrever do conforto do meu lar, e raramente vou ao escritório onde minha equipe vende os treinamentos, cuida do meu financeiro e edita os vídeos. Mas naquele dia, ao soltar a frase, eu fortalecia a crença de que um negócio só prospera se estivermos presentes nele. A pergunta é: será que aquela frase era realmente minha, ou ainda reproduzo frases do meu pai, que não abria mão de vender peixe na feira, não delegando a tarefa nem a seus melhores funcionários?

Pois é, todos os dias temos de rever nossas palavras e observar cada uma delas, porque podemos estar dizendo algo simplesmente para trazer uma crença à tona. E é óbvio que minha equipe vai muito bem, obrigado, sem minha presença. Conheço um empreendedor que abriu um negócio para ter "autonomia de tempo". Tudo que ele não tem hoje é isso. Passa 24 horas por dia pensando no negócio. Quando não está fisicamente presente, está sonhando com aquilo (isto é, quando consegue dormir, porque está sempre preocupado). Nesse caso, quando diz que o olho do dono engorda o gado, está simplesmente afirmando que a loja não anda sem a presença dele.

Para desconstruir uma crença, temos de pensar sobre sua origem. E é claro que, se treinamos uma boa equipe, ela é capaz de fazer um negócio girar sem nossa presença constante.

Conheço uma empresária que diz que, se não está no negócio, é roubada pelos funcionários. Que eles não sabem trabalhar sem pressão. Mas podemos engajar as pessoas, contratar as pessoas certas, tratá-las bem e fazer com que uma equipe trabalhe com afinco, se engajando na nossa causa sem que estejamos presentes na sala de reunião. O que quero trazer aqui é que muitas crenças parecem boas, porque são ditados antigos. Mas nem sempre esses ditados trazem uma verdade universal. Apenas acreditamos neles e os levamos como verdade absoluta, enquanto poderíamos estar atentos às palavras que proferimos sem pensar.

No empreendedorismo, muitos de nós nos limitamos usando crenças antigas que nem sempre fortalecem o negócio. Eu era alimentado por tais crenças desde minha infância. Demorei para entender que podia escrever a minha própria história como empreendedor. Não foi fácil estudar e quebrar minhas correntes numa família onde ninguém tinha estudado. E começar um negócio digital também foi contra todos aqueles que não acreditavam que isso podia dar certo.

Enquanto cresci, imaginava que poderia perder o amor das pessoas se eu prosperasse. E em alguns momentos talvez eu tenha bloqueado minha prosperidade por isso. Mas estudei e usei tudo isso que lhe ensino na minha própria vida.

Até escrever este livro foi um desafio. Fui desafiado pela editora, que queria que eu entregasse o conteúdo num prazo recorde para que pudéssemos publicar na Bienal do livro de São Paulo. E a primeira coisa que pensei foi "será que dá tempo?". Tive que rever minhas crenças de que não seria possível fazer algo de qualidade num tempo tão curto ou de que não era possível escrever um livro em tão pouco tempo. Precisava criar a crença de que era possível e utilizar os recursos disponíveis.

Quando estamos dispostos a fazer algo, o Universo se mobiliza de alguma forma para nos ajudar. E as portas foram se abrindo de tal maneira que entendi que era hora de dar vida a este livro e destruir crenças limitantes. Não aguentava mais ver tanta gente presa numa série de frases de efeito que não traziam qualquer resultado prático a suas vidas. Eu queria que todos vivessem a vida dos sonhos, prosperassem, tivessem um bom relacionamento e construíssem relações sólidas com "gente fina, elegante e sincera", como dizia o Lulu Santos.

Vamos observar hoje como está nossa vida em todas as áreas e quem está falando o que podemos fazer ou deixar de fazer. Não existe limite para a prosperidade, para a felicidade, para a alegria, e é direito divino que sejamos felizes, alegres, tenhamos dinheiro, abundância, e possamos construir isso pra nós e para os outros.

Não se limite a frases que não criem sentido no seu cotidiano atual. Deixe que a sua mente diga o que quiser, mas converse com ela, observe se ela está dizendo uma coisinha que o enfraquece ou lhe traz potência de viver. Se você está deixando de fazer o que gosta por causa de crenças absurdas, está vivendo com crenças limitadoras. Se está crescendo, está em crenças fortalecedoras. É isso que deve observar a partir de agora.

Dar um basta nas crenças que o limitam é algo a ser feito dia após dia. É um passo de cada vez. Quando você vence um medo, prospera. Quando você se afasta de alguém que o põe para baixo, prospera. Perceba que prosperidade é etapa, é movimento, é coisa em que se coloca energia. São os pequenos hábitos que nos fazem crescer.

Eu sei como somos cercados de informações, pessoas, palavras, e nem sempre é possível se isolar do mundo. E está tudo bem! Essa é a mágica da vida mesmo, viver e conviver com as diferenças. E nem queremos que você viva numa montanha meditando. Passar pela fila da farmácia ou do mercado sem ser intoxicado pelas palavras nocivas já é uma grande vitória.

Pense nisso.

Capítulo 14
O antídoto PARA CADA crença

> *Existem dez fraquezas contra as quais todos nós devemos tomar cuidado. Uma delas é o hábito de tentar colher antes de semear, e todas as outras acham-se reunidas no hábito de arranjar desculpas para justificar cada erro que cometemos.*
>
> - Napoleon Hill

"NÃO VAI DAR CERTO", a mãe da Helena dizia quando ela tentava um projeto novo. Sua mãe tinha medo de ver a filha frustrada e a frustrava antes.

"VOCÊ NÃO TEM JEITO", o pai da Cláudia falava sempre que ela fazia algo que o desagradava.

"DINHEIRO TRAZ INFELICIDADE", era o discurso do pai da Mia ao ver que não era capaz de ser bem-sucedido.

"NADA CAI DO CÉU. SÓ CHUVA", era a frase perfeita do Ernesto ao contar para a filha que era uma otimista incontrolável.

"DEUS CASTIGA", berrava a avó do Pedro quando o via fazendo algo e não sabia como puni-lo.

"CASAMENTO É PARA A VIDA TODA", explicava a mãe da Selma enquanto a via planejando o próprio noivado.

"VOCÊ NÃO TEM MAIS IDADE PARA ISSO", era a frase preferida do pai da Luciana quando a via querendo sair para se divertir com os amigos depois de se separar.

"A DOR DE TER UM FILHO É A DOR DE MORTE", dizia a Clécia para a filha que tentava engravidar sem sucesso.

"VOCÊ É IGUAL A SUA TIA", ironizava a Silvia para que a filha se sentisse rotulada como a própria irmã, que tinha casado algumas vezes em busca da própria felicidade.

Em mim basta!

"**RUIM COM ELE, PIOR SEM ELE**", explicava a Denise para a filha que sofria violência doméstica e tinha dois filhos.

"**COLOQUE OS PÉS NO CHÃO**", exclamava José para o filho que queria abrir seu negócio.

"**HOMEM NENHUM VAI TE ASSUMIR COM UMA FILHA**", dizia a Sandra, mãe solteira, para a própria filha, como se aquele fosse um drama familiar.

"**CONFORME-SE COM O QUE TEM**", balbuciava o Joaquim quando via o filho tentando novos projetos.

"**ESTOU AQUI PARA CARREGAR A MINHA CRUZ**", era o que a Celina escutava quando via a mãe trabalhar até tarde.

"**QUEM DISSE QUE A VIDA É FÁCIL?**", escutava a Thais quando algo dava errado em sua vida.

"**É A VONTADE DE DEUS**", dizia a Izabel para a neta quando algo ruim acontecia.

"**A VIDA É MATAR UM LEÃO POR DIA**", gabava-se a Eleonora ao chegar em casa às onze da noite.

Crenças LIMITANTES

"EU NÃO CONSIGO"

"JÁ É TARDE DEMAIS"

"NÃO VAI DAR CERTO"

"TUDO PRECISA SER PERFEITO"

"SOU VELHA DEMAIS PRA ISSO"

"FELICIDADE DURA POUCO"

"ISSO NÃO É PARA MIM"

"NASCI POBRE, VOU MORRER POBRE"

Só trouxe esses exemplos para você porque colhi alguns dos comentários dos meus seguidores nas redes para que este livro fosse mais interativo, vivo e dinâmico.

Eu não queria trazer apenas frases feitas ou aquelas que tinha ouvido em minha infância. E contei com as pessoas que me seguem para que seus discursos fossem representados no livro. Com essa amostragem em mãos, decidi trazer alguns argumentos e antídotos para cada uma das frases.

1. "NÃO VAI DAR CERTO"

Quando a mãe da Helena diz que as coisas não vão dar certo, ela tem medo de que a filha se frustre.

Ela já se frustrou tantas e tantas vezes, que não quer ver o sofrimento estampado no rosto da menina. Ao mesmo tempo, teme que com ela dê certo, o que seria um tapa na cara de seus fracassos pessoais.

Logo, Helena se sabota constantemente porque a voz da mãe ecoa em sua mente. O "não vai dar certo" aparece sempre que ela está na cara do gol, pronta para marcar o pênalti da final.

Ela perde as forças e volta à estaca zero, para não contradizer sua mãe.

A crença que ela poderia instalar em substituição seria: "Para mim, as coisas dão certo. A história da minha mãe é diferente da minha".

2. "VOCÊ NÃO TEM JEITO"

A Cláudia achava que não tinha mais jeito. Às vezes relaxava nos estudos, na aparência, na vida em geral.

Tinha o aspecto de quem estava se arrastando pela vida.

Quem consegue entender que os pais dizem isso como força de expressão pode substituir a crença para: "Eu tenho a minha história e construo ela com erros e acertos".

3. "NADA CAI DO CÉU. SÓ CHUVA"

Essa era a frase perfeita do Ernesto ao contar para a filha que era uma otimista incontrolável.

Mas para ela o dinheiro vinha fácil, ela prosperava, tinha muita alegria, e sua química cerebral mudava quando conseguia as coisas que queria.

Logo, conseguia sempre mais e mais.

Para o pai, sempre emburrado e com vida difícil, aquilo era uma boa fase.

Para dar um basta nisso, ela deveria dizer: "Na minha vida eu consigo tudo que quero. O poder da minha mente é fantástico".

Em mim basta!

4. "VOCÊ NÃO TEM MAIS IDADE PARA ISSO".

A frase preferida do pai da Luciana quando a via querendo sair para se divertir com os amigos depois de se separar era para discriminar aquela atitude.

Como se houvesse idade para se divertir. Como tinha se privado a vida inteira da diversão, não via sentido ao ver a filha priorizando isso.

O basta poderia ser: "Posso fazer o que quiser quando tiver vontade. Alegria não tem idade".

5. "RUIM COM ELE, PIOR SEM ELE"

A Denise dizia isso para a filha, que sofria violência doméstica e tinha dois filhos.

Isso fortalecia a crença da filha, que não tinha coragem de se separar, porque tinha medo de ficar sozinha.

Esse basta duplo poderia ser: "Melhor sozinha do que com uma pessoa que me desrespeita".

Esses são apenas cinco exemplos de como podemos transformar crenças que surgem e dizer a nós mesmos ou às pessoas ao nosso redor coisas que podem ser antídotos para aquilo.

Se queremos fortalecer crenças positivas, temos que criar esses antídotos e dizer como se fossem mantras em nossa mente para que se fixem de verdade e sejam o mapa de nosso novo comportamento.

Agora, escreva abaixo crenças que são comuns para você e qual seria o antídoto a elas.

_____
_____
_____
_____
_____
_____
_____
_____
_____
_____
_____
_____
_____
_____
_____
_____
_____

Capítulo 15
Saindo do lugar

> *Todo o mundo da experiência, incluindo a matéria, é a manifestação material de formas transcendentes de consciência.*
>
> - Amit Goswami

Assim que nos dispomos a dar um basta nas situações nocivas de nossas vidas, tudo muda. Mas nem sempre conseguimos arcar com as mudanças.

Se os pais se afastam, muitos se sentem culpados e voltam a reproduzir o comportamento limitante para conseguir a atenção deles. Se os amigos queridos saem de cena, é como se a pessoa não soubesse mais quem ela é sem eles. E muitas vezes acaba voltando para o mesmo lugar, para conseguir aprovação das pessoas.

Entenda que dar um basta nas situações é sair do lugar em que você estava. E não é confortável, porque gera movimento. Quando saímos de onde estávamos, começamos a partir numa nova direção. E isso pode trazer medo. Ninguém sabe o que vai acontecer naquele novo caminho.

Sabe a imagem de capa deste livro? Ela é provocativa. E você será o fósforo que não vai colocar fogo depois de si. Os abusos, comportamentos ruins, tudo que for nocivo vai ser interrompido, e você vai criar um novo caminho.

Mas falta coragem para muitos.

Porque nem sempre esse caminho é junto das pessoas que amamos. Muitas vezes ele é solitário, dolorido. E não conseguimos entender aonde irá nos levar.

Já fui um sujeito que interrompi muitos ciclos, mas o mais importante deles foi quando decidi assumir minha homossexualidade e "sair do armário". Na sociedade machista em que vivemos, não foi nada fácil.

Um homem bem-sucedido que se declara homossexual? Os olhares surgiram, e entendi que trariam forças para mim. Não seria eu que faria uma escolha porque meus pais sonhavam com um casamento heteroafetivo.

Muitas pessoas, quando dão um basta, percebem que seguir seus caminhos implica assumir posições que não estavam dispostas a compartilhar publicamente. Mas o alívio que traz a verdade, o bem-estar de ser você mesmo sem precisar se esconder de nada nem ninguém, é uma conquista.

Há muitas pessoas que preferem reproduzir comportamentos a sair do lugar. Porque é confortável seguir a manada. É o caminho que todos percorrem sem lutar, sem serem vistos, notados ou criticados. Porque fica mais fácil.

Dizer um basta às crenças que o limitaram, ao comportamento autodestrutivo, é um exercício diário a ser feito para trazer um novo lugar de conforto, onde você pode pautar a vida de uma legião de pessoas sem reproduzir modelos pré-estabelecidos.

Quando nos levantamos e damos a cara a tapa, saímos do lugar e criamos novas possibilidades. Somos convidados a repensar nosso comportamento e novas trilhas para nossa vida. Trilhas que não seriam possíveis se ficássemos encostados na inércia de uma vida onde se faz mais do mesmo.

As mesmas palavras, os mesmos pensamentos, as mesmas atitudes levam você ao mesmo lugar.

E, se estamos falando de criar novas possibilidades, precisamos nos ater ao fato de que elas só podem acontecer se você sair do lugar. Para isso, são necessários pensamento, olhar e atitude novos.

Sair do lugar pode parecer assustador, porque você está acostumado a reclamar de algo, a ser a vítima das circunstâncias e a dizer o quanto o mundo é injusto sem nem sequer lutar.

Mas comprar brigas que valem a pena pode lhe trazer uma potência jamais vista. Uma potência de ser e agir que se expande numa nova forma de se relacionar com o mundo.

Devemos agir em outra direção para termos novos resultados. Isso é o primeiro ponto de dar um basta em uma situação que o incomoda.

Ao mesmo tempo, muitas pessoas me contam que, quando começam a dar este basta, passam a sabotar a si mesmas num ritmo alucinante na tentativa de voltar ao estado de conforto em que estavam antes.

É por isso que estamos aqui, de mãos dadas, para continuar essa jornada rumo ao seu desenvolvimento pessoal. É por isso que é preciso criar uma nova estratégia quando você sair daquele posicionamento infantil e reativo e se tornar o protagonista da sua vida.

Protagonistas sabem onde estão e para onde querem ir. Eles norteiam e levam pessoas para que elas possam ter novas visões de futuro. E fazem isso porque tiveram a coragem de agir quando os outros estavam estagnados, com medo do que poderia acontecer caso saíssem do lugar.

Conheço uma mulher que deu um basta em situações abusivas em sua vida. Ela tinha um padrão familiar muito enraizado e passou a observar como o reproduzia sem perceber as ações permissivas de sua mãe. Aos poucos, criou um espaço maior para se desenvolver como mulher, e, no desconforto, quase desistiu. Dava muito trabalho ser ela mesma. Não tinha mais o tapinha nas costas dos colegas. Porque, quando comandamos nosso destino, muitos esperam nos ver descontentes para seguir com o mantra "foi você quem quis assim".

Logo depois de se separar do pai de suas filhas, ela se viu acuada, sobrecarregada, exausta, e, ao dizer isso para as pessoas, ouviu um ataque gratuito: "mas você quem quis se separar". Ela percebia que o julgamento vinha das próprias mulheres, que preferiam manter casamentos nocivos a ficar sozinhas. Mas é claro que elas não a abraçariam: elas queriam que ela tivesse um motivo para sofrer.

Essa mulher sofreu bastante, e durante anos, as consequências de suas decisões. Mas, em determinado dia, refletiu como teria sido caso não as tivesse tomado. E riu de si mesma. A coragem que a fizera agir estava ali, escondida, esperando uma oportunidade para sorrir novamente.

Muitas pessoas acabam sofrendo as consequências de suas escolhas e, quando reclamam de que algo está indo mal, ouvem quase que uma comemoração do outro lado, como se o outro dissesse: "Tá vendo! Era mais fácil do outro jeito!".

Acontece que o caminho mais fácil – que é seguir o que todos fazem – nem sempre nos leva a algum lugar. Muitas vezes é um caminho que não nos dá nada novo e nos deixa no ostracismo, vivendo à procura de migalhas.

Migalhas da vida, das relações, do trabalho. E, se podemos viver em abundância, por qual motivo estamos aceitando tais migalhas?

Não quero que você jogue tudo para o alto ou comece a fazer loucuras. Quero só que reflita sobre o que está sendo feito em sua vida e como pode mudar a partir de agora o rumo – para caminhar em direção a algo que seja mais condizente com aquilo que busca.

Rasgue todos os manuais. A hora de viver de acordo com o que quer é agora.

Capítulo 16
O NINHO

> "Determinação, coragem e autoconfiança são fatores decisivos para o sucesso. Se estamos possuídos por uma inabalável determinação, conseguiremos superá-los. Independentemente das circunstâncias, devemos ser sempre humildes, recatados e despidos de orgulho."
>
> - Dalai Lama

Agora você já conseguiu olhar para a própria vida.

Viu tudo que reverbera dentro da sua mente e ecoa no seu comportamento e em suas atitudes. Tem dores dentro de você que você tem há muitos anos, e só agora teve coragem de olhar para dentro. Carregar medos, ansiedades, culpas enfraquece, porque você cria um campo negativo. E, se estamos falando de mudar suas crenças, você vai mudar sua vibração. Agradeça, porque você foi o responsável por esse despertar e criar uma nova realidade. Se você decidiu mudar para a melhor, é porque merece, e o que o movimenta são as dores que o estavam incomodando.

A vida pode falar conosco por meio das dores ou da inteligência, e, se você só se movimenta com dores, a vida vai lhe trazer dor o tempo todo, para que você aprenda a lição. As dores se repetem até que você aprenda. Quando sentimos muita dor, fazemos um movimento para sair, e esse movimento é o que você está fazendo a partir de agora. Naturalmente, as coisas passarão a mudar para você.

Na natureza, quando o passarinho faz um ninho, ele o arruma com tudo confortável para receber os ovos. Aí, depois disso, ele vai até a natureza, mastiga o alimento e leva para o filhote, que não tem capacidade de ir buscar o alimento ou mastigá-lo. Conforme o pássaro começa a crescer, a mãe passa a tirar o conforto do ninho para que ele fique seguro o bastante para sair dele. Nesse momento ele descobre que tem asas. Então a prole começa a voar. Mas sempre tem um que fica agarrado e se debatendo, porque não saiu dali. Esse passarinho é aquele que, se fosse humano, diria que sua mãe o abandonou, que seus irmãos se foram. E vem a chuva, e ele cai. Quando cai, descobre que pode voar. Só que isso acontece porque o ciclo se encerrou. Ela está seguindo o processo de sua vida. Se o ninho estivesse ali, confortável, ele estaria ali sem descobrir que pode.

Quem nunca viu um trintão ou quarentão morando com os pais porque não consegue sair do ninho? Quem nunca viu a mãe com oitenta colocando comida no prato do filho de cinquenta porque não aceita ele "crescer"?

Se falamos algo a alguém que acredita numa verdade absoluta, essa pessoa nem se questiona a respeito de seus problemas. E, se você passar a enxergar seus problemas de forma real, vai entender que tudo que lhe aconteceu até agora o trouxe até aqui. Muitas pessoas demoram uma vida para dar um basta, para sair do ninho, para aprender a voar com as próprias asas e deixarem de ser alimentadas pelas crenças dos outros. Seus pais o alimentaram com suas crenças quando você era pequeno.

E agora você deve ir adiante, porque pode entender que existe o padrão do ganhador ou o do perdedor. O ganhador olha sempre que tudo evolui e continua indo para o bem. Mas tem gente que vai deixando a vida acontecer e nem sabe como vai ser a semana seguinte. Às vezes as coisas nos acontecem porque precisamos destravar.

A plantação é livre, e a colheita é obrigatória, já dizia Jesus. Se você quer colher coisas diferentes daqui a um ano, tem que saber como plantar agora. Nossa mente pode transformar nossos pensamentos, que mudam os sentimentos e nossa vibração. E quando você vibra, tem uma mente que sabe que tudo evolui.

Mas o perdedor acha que tudo acontece com ele, ele reclama de tudo e vive no negativo em relação a tudo que está acontecendo. O ganhador tem verdades absolutas que o favorecem. Ele observa como tudo faz com que ele se movimente. Tem uma mentalidade positiva e consegue visualizar tudo de maneira positiva.

Se dois homens olham a partir de um mesmo lugar, um pode olhar para a lama e outro para as estrelas. E eu lhe pergunto: qual seu olhar hoje? Você precisa criar um padrão positivo a partir de já. Vamos reescrever suas verdades de maneiras positivas e começar a transformar esse padrão, rastreando o que o está sabotando e limitando.

Quando perguntam a Jesus onde está Deus, ele responde que Ele não está nos palácios de pedra e madeira. Ele está dentro de nós. "Vós sois deuses." Ele sempre diz que as pessoas deveriam deixar suas luzes brilharem. Mas muitas vezes vamos nos esquecendo disso.

Deus está em tudo que nos cerca. As flores que cheiramos, os animais que vemos, as plantas que regamos, as pessoas que encontramos. Deus está em todos os lugares e principalmente dentro de nós. Mas, em algum momento de nossas vidas, nos desconectamos do nosso Deus interior. Por alguma razão, passamos a vibrar diferente e trazer coisas diferentes para nossa vida. É como quando o dia começa mal e tudo se desenrola da pior forma possível. No entanto, dá para virar o jogo e trabalhar para voltar a vibrar da melhor maneira possível. Nossa vibração é quem faz com que construamos nossa realidade. Seu corpo e sua alma estão conectados onde? Você está amaldiçoando sua vida agora e achando que está no fundo do poço? Tem que começar a virar a mesa a partir de agora, e o primeiro passo dessa caminhada é acreditar que pode mudar o rumo da sua vida.

Acreditar é a primeira coisa.

Lembro que um dia estava tomando um café da manhã num hotel e uma mulher estava na mesa ao lado dizendo o seguinte: "Tenho certeza de que este *croissant* irá me fazer mal". E eu estava comendo o *croissant* também. Mas, se ela pensou, falou e vibrou isso, na mesma hora as células dela se transformaram para que ela pudesse sentir aquilo.

E quando acreditamos em algo, aquilo já está funcionando.

Quando estamos no fundo do poço, dá trabalho para sair porque não temos energia para nos tirar daquele lugar. Por isso, é melhor cuidar da energia constantemente, para não cair no poço novamente. Nas horas em que estamos enfrentando desafios, ficamos desanimados, tristes, e é justo nessas horas que precisaríamos de mais força. Mas aí desistimos. Eu já fiz isso. Nos momentos em que estamos enfraquecidos é que precisamos de um movimento para sair do lugar. E precisamos buscar energia.

Se uma árvore tem trinta metros, lá na raiz ela tem uma força vital. Dentro de todos nós há essa força vital, e podemos deixar essa luz brilhar para que possamos virar a página de nossas vidas. Não é fácil sair desse estado. Mas dá para se comprometer consigo mesmo.

A tristeza e a angústia vêm porque nossa alma não está feliz. Essas emoções são a linguagem que a alma tem para dizer: "Ei, você não vai mudar nada?". Empurrar com a barriga é uma das maiores tolices do ser humano. Ninguém empurra a própria vida, no máximo está prolongando o sofrimento e carregando tudo o que não quer! Não se acomode diante da sua própria história. Não se esqueça: você é o diretor desse filme! Você é o roteirista, é o protagonista. A história é sua. Só sua. Cada um de nós está contando a própria história para si mesmo.

Ter coragem de encerrar uma situação, muitas vezes, garante a abertura de novas oportunidades que estavam esperando o momento de chegar até você. A natureza está se movimentando o tempo todo.

E você? Abundância é daquele que tem movimento. Quando chove em nosso planeta e a água faz o movimento de molhar, de limpar, de refrescar e de trazer vida, as plantas recolhem o que é bom para elas. O excesso, a terra se encarrega de levar embora: elas pegam só o que é bom para elas.

Esse campo que está travado na sua vida pode ser algo preso desde a infância. Então, precisamos olhar para dentro, para algo que aconteceu bem lá atrás que não foi resolvido e, até este momento, está travando sua vida.

Uma mudança na rota pode ser a saída inteligente para o que não funciona. Mude e perceba se aquele lado começou a fluir melhor.

Ninguém prospera nem atrai o melhor para a vida olhando para o que passou!

Pare de ficar olhando para trás na sua história e de pensar que não deveria ter feito algo; que parou no meio da estrada porque tinha uma curva, não avançou e não descobriu que depois da curva havia uma estrada maravilhosa para continuar... Alimente sua alma com conteúdos positivos, ouça músicas bonitas, que acalmem o coração, assista a programas que vão incentivá-lo a fazer o bem.

Na vida, a gente tem de aprender com tudo. Até com o medo: você anda sentindo medo de coisas que não o estão deixando seguir em frente.

Abandone essa ideia de ver o mal em tudo.

O mal vê o portão fechado, o medo vê a porta fechada.

Como é que o fluxo vai fluir se você já imagina tudo fechado?

Capítulo 17
ABRINDO NOVOS ciclos

"Tudo o que um sonho precisa para ser realizado é alguém que acredite que ele possa ser realizado."

— Roberto Shinyashiki

Quantos ciclos abrimos e fechamos no dia a dia?

Em toda a nossa existência, abrimos e fechamos ciclos, e, quando nascemos, nosso próprio corpo já trabalha a questão dos ciclos.

Moacyr Franco dizia em uma música: "Só vivemos nove meses, o resto, a gente morre".

Assim que nascemos, nosso corpo começa a se encerrar e recomeçar. E as pessoas não percebem que estão diretamente em contato com a morte.

Se eu lhe perguntar se a morte está dentro ou fora de você, não percebemos que estamos encerrando ciclos dia após dia.

Ciclos físicos, ciclos emocionais... Tudo são ciclos.

Sempre que os ciclos se encerram, sentimos certa dor – mas sem ter esse pensamento racional. Então, aprendemos a sofrer com o final de cada ciclo.

Não temos a consciência racional do final de cada ciclo e, dentro da dor que sentimos, acabamos recebendo as crenças que nos limitaram e nos atrapalham. Todas foram construídas ao longo da vida, e nos cercam e nos compõem. E não temos um pensamento racional sobre o nosso emocional.

Não percebemos que já vivenciamos os ciclos, que estamos há tanto tempo em nossas vidas carregando dores que nos impedem de abrir novos ciclos?

Dores que nos rasgam, incomodam e punem. Dores do passado que nos bloqueiam. Por não conseguirmos perdoar, visualizar os outros de uma maneira generosa. É preciso observar que ciclos devem começar e se encerrar. E encerrar o ciclo dos maus pensamentos.

As palavras estão impregnadas em todos os lugares: no seu carro, na sua casa, em tudo. Onde quer que você esteja, vai sentir a energia daquele lugar. Se já esteve dentro de um santuário, sabe que aquele lugar tem uma energia mais forte e boa do que um presídio ou hospital.

Palavras viram ectoplasmas e grudam nos lugares. Se pudéssemos ver os ectoplasmas saindo de nossa boca, veríamos como eles estão. Se são castelos fortes, férteis, abundantes.

Terapia é basicamente racionalizar aquilo que sentimos. E por isso traz *insights*. Mas vamos deixando tudo para depois.

Nossos pensamentos, palavras e atitudes são escolhas na direção do hábito que estamos construindo. E nosso hábito comanda nossa realidade. Tudo que trazemos para nós até aqui.

Para abrir um novo ciclo, é preciso parar de enganar a si mesmo. Você pode enganar o mundo inteiro, mas não engana a si.

Existem dois tipos de energia no mundo: a micro e a macro. A macro é a do planeta, e a micro é a sua energia.

Ou seja: todos nós doamos para o planeta e recebemos dele. Muitos apenas sugam. Outros derramam bençãos.

Quem você quer ser? Transmitir energia ou receber energia de todos?

Não está na hora de encerrar o ciclo de negatividade?

Sabe quando você entra num ambiente "pesado" e não consegue ficar ali? Você tem vontade de ir embora? Isso tem a ver com as energias envolvidas. Entre pessoas, ambientes e projetos.

Sua energia deve ir em direção à energia macro.

Por isso, quando fazemos algo a alguém, não estamos fazendo apenas para alguém: estamos fazendo para o planeta.

Agora, para sair do estado de inércia e deixar de vibrar negatividade, é preciso reconhecer em que estado você está. Porque muitas pessoas estão estagnadas por medo. Não encerram ciclos nem começam novos porque se sabotam, a mente traz críticas, e cada um traz um medo diferente: o de não dar certo, o do processo.

Muitos carregam angústias, medos, se deprimem, e, quando pensam no medo, a mente gera pensamentos intrusivos e negativos.

Mas a ansiedade cria medos do que não aconteceu. Por isso é que muitas pessoas não começam novos ciclos. São movidas pelos medos irreais.

Uma amiga disse que tinha medo de ser abandonada num relacionamento. E não se relaciona. Ela já foi abandonada no altar e tinha medo de que isso acontecesse novamente. Só que a maioria das pessoas alimenta medo de coisas que não aconteceram e jamais acontecerão.

Para iniciarmos novos ciclos, é preciso observar quais pensamentos chegam até nós quando somos invadidos por pensamentos ruins.

Podemos substituir esses medos por "e se isso valer a pena?".

Dessa forma, trocamos o pensamento imediatamente e criamos novas conexões neurais. Conforme começamos a nos empoderar de nossos pensamentos, podemos criar hipóteses positivas em torno dos nossos medos.

Uma mulher que não quer começar uma relação por medo pode simplesmente perguntar a si mesma: "e se eu construir uma relação maravilhosa com ele?". De repente, quando começamos a criar um "e se", fazemos uma sequência de comentários positivos para quebrar os pensamentos intrusivos.

Comece a escrever sobre seus medos, comece a trazer à tona esses pensamentos intrusivos e crie novas situações para que você possa rever seus conceitos e diminuir seus medos.

Crie uma sequência de pensamentos positivos que inibam seus medos e enfrente seus medos de encerrar e iniciar os ciclos.

Um soldado que vai para a guerra tem medo, mas enfrenta esse medo e vai.

Quando você vai a uma entrevista de emprego, tem medo, mas vai para a entrevista e aquilo pode ser a melhor coisa que vai acontecer na sua vida.

Substitua o "e se" negativo pelo "e se" positivo e crie um repertório emocional positivo dentro da sua mente, em vez de ficar rodando uma vitrola quebrada com medo, sem sair do lugar, estagnado, com ciclos que já se encerraram, mas que estão ali apodrecendo.

Prometa ser fiel e se amar e se respeitar todos os dias da sua vida.

Mude, encare os novos ciclos.

O medo do que não aconteceu pode fazer com que nada aconteça e você continue no ostracismo de uma vida infeliz.

Capítulo 18

O medo de ser feliz

> "Não importa que você vá devagar, contanto que você não pare."
> - Confúcio

Tive uma aluna extremamente dedicada em minhas mentorias. Ela estava a um passo de se libertar das correntes que a prendiam e dar um basta na vida que levava. Até que, certo dia, travou.

Conforme o passo parecia acontecer, ela voltava para trás e tentava se acorrentar novamente.

O diagnóstico? Um medo brutal de ser feliz.

A felicidade batia à porta dela, se escancarava em sua vida, mas ela estava sempre com medo de viver algo bom, como se aquilo fosse desestruturar sua vida. Como se não fosse seguro ser feliz e fosse preciso estar sempre amarrada às crenças de que a vida era difícil demais, pesada demais, e deveria ter tudo sob controle o tempo todo. Com o tempo, ela tornou-se rígida. Parecia que sempre queria estar representando um papel, que nada podia sair do lugar.

Dar um basta naquele ciclo de autodestruição – que ela fazia acontecer sempre que algo bom se apresentava, deixando tudo ir embora e escapar de suas mãos – foi um processo. Ela tinha muita vida acontecendo dentro dela, e, ao mesmo tempo, medo de viver aquela vida toda, de desabrochar para ela. Como se fosse arriscado, perigoso.

O medo de ser feliz é uma das maiores armadilhas mentais, porque ele vem disfarçado de muita coisa.

A pessoa começa a progredir e de repente passa a buscar uma doença para poder se preocupar com algo ruim. Ou se sabota a tal ponto que precisa de dinheiro e começa a se preocupar 24 horas por dia. Tem gente que marca exames todos os meses para buscar diagnósticos ruins porque não consegue acreditar que está bem. E mesmo o corpo sendo uma máquina perfeita, estão sempre à espreita de algo ameaçador.

A tensão fica constante, e aquela pessoa não consegue desfrutar da vida, da alegria de viver, do amor, da aventura, do entusiasmo e de todos os sentimentos positivos que uma vida plena pode trazer.

O psicanalista francês Jacques Lacan dizia que ninguém quer se curar de fato, o que quer é configurar um novo lugar na fantasia para continuar preso.

A pergunta que faço a você é: como está construindo a sua vida? O que está fazendo com o seu tempo? Tem trazido momentos marcantes para a memória ou simplesmente ocupado a cabeça com problemas, checklists, constantes compromissos que não lhe trazem qualquer criatividade?

Viver uma vida feliz, alegre e criativa é possível para todos, mas para isso é preciso dar um basta nas convenções sociais que dizem que você precisa ser produtivo o tempo todo, responsável, de cara feia, e se divertir apenas nos finais de semana. O dia a dia fica cinza, e nos finais de semana você extravasa, tentando viver aquilo que estava acumulado dentro de si.

Mas isso é inviável para qualquer ser humano, já que a vida acontece todos os dias.

No seu trabalho, na sua rotina, no seu café da manhã com os filhos, no seu jantar e almoço com a turma do trabalho.

Tudo cria momentos e memórias e constrói sua jornada. Mas, se você torna essa jornada mecânica, enfadonha, chata e cheia de repetições, padrões e amarrações mentais, como se precisasse manter uma postura séria no trabalho e na vida, está fadado à infelicidade.

Já vi pessoas se contentando com casamentos absolutamente falidos pelo simples fato de que tinham medo de tentar sair daquela relação, dar um basta na infelicidade e buscar uma nova paixão. Podemos renascer todos os dias, buscar novas paixões, novos hobbies, novas coisas que possam trazer alegria e diversão à nossa rotina, que não precisa ser a expressão de algo chato, denso e pesado.

Dar um basta na programação mental que nos mantém reféns da disciplina, do padrão chato das burocracias da vida, da parte que aparentemente nos deixa aptos a viver a vida adulta é algo urgente, porque uma vida vivida é uma vida com prazer, com satisfação, gozo, alegria.

Tudo isso deve estar dentro do seu dia a dia. Um sorriso, uma gargalhada, uma vontade de fazer algo que nunca fez ou descobrir novas paixões. Assim como quando era criança. E não simplesmente repetir os mesmos lugares, padrões, tudo que traz conforto e segurança.

Dar um basta é parar de seguir o que seus amigos acham legal e passar a frequentar os lugares que você ama. Parar de vibrar na escassez de uma vida mendiga em que você não gasta para poupar e não pensa duas vezes quando precisa fazer um exame ou compras na farmácia.

Dar um basta é deixar de lado o culto à doença e passar a gostar da saúde, da vida de verdade, daquilo que faz seu coração pulsar, seus olhos brilharem. Entramos nesse círculo vicioso sem perceber, porque a sociedade nos consome e dita as regras do jogo. Todos estão fazendo algo, produzindo algo, poucas vezes efetivamente preocupados consigo mesmos e com o futuro. As pessoas sentem a obrigação de estar fazendo alguma coisa até mesmo nos dias de descanso, porque não suportam ficar consigo mesmas.

O medo de ser feliz pode ser tóxico, porque a pessoa não percebe que, quando a corda começa a afrouxar, ela mesma faz questão de voltar a prendê-la.

É como se estivesse aprisionada num ciclo em que precisa sofrer para manter sua sobrevivência e não consegue impor pequenos prazeres na construção de sua vida, como se a vida precisasse ser difícil.

Já conheci pessoas que voltaram para a casa dos pais mesmo sabendo que eles eram tóxicos e intolerantes, porque não suportavam ficar sozinhas, com liberdade de ir e vir, fazendo o que gostavam e com autonomia sobre as próprias vidas.

É comum, mas não é normal querer voltar atrás e regredir nas suas conquistas.

É vital que você traga a si mesmo uma nova bagagem para poder enxergar a vida de outra forma, mais harmônica, feliz e com uma tônica que lhe permita ter breves pausas de descanso, de autocuidado, de autoamor, porque não adianta focar apenas alguns pilares e deixar outros de lado.

Perceba como andam as suas emoções e observe o que tem feito para sair do padrão ao qual está condicionado. Você consegue jogar felicidade no seu dia a dia? Consegue tornar seu trabalho algo prazeroso ou criar rotinas de criatividade que o tirem do conceito de que trabalho deve ser um sacrifício pessoal?

Quais suas convicções relacionadas ao trabalho e à vida em geral que o têm deixado aprisionado em dias angustiantes, que o impedem de viver, de jorrar criatividade, alegria, felicidade? Que o impedem de ser feliz?

Existe um paradigma esquisito na sociedade que nos faz acreditar que o trabalho duro dignifica o ser humano, que Deus ajuda quem cedo madruga, e vamos repetindo esse amontoado de crenças sem sentido que só trazem desgaste à vida.

Vivemos tensos, como se estivéssemos presos a armaduras.

Não relaxamos nunca e vemos o relaxamento como uma ameaça. É uma geração de pessoas tristes, deprimidas, vazias, com medo de viver, de morrer.

E tudo isso acontece porque não estamos entendendo o básico: **precisamos nos conectar com aquilo que amamos.**

Construir um jeito novo de fazer as coisas. Criar uma maneira de fazer com que as coisas mudem de perspectiva, sem tornar o caminho difícil.

Alguns começam a trilhar essa estrada onde pisam num chão seguro e logo depois voltam dois passos, com medo do que viram. Não se sentem seguros numa vida prazerosa porque parece que algo lhes escapou das mãos. "Como posso ser feliz na minha vida se meus pais são tão tristes e doentes?" Vem a culpa, a vontade de voltar a ser doente, triste, e estar de acordo com aqueles padrões que foram criados na infância.

A rotina se repete até que a pessoa entre em exaustão, e a dor se perpetua até que a pessoa aprenda.

Ela precisa aprender a viver, a estar conectada com novas formas de vida, com um jeito gostoso, harmônico e sábio de estar adaptada aos seus dias.

Quem não consegue se entregar ao fluxo da vida fica estagnado. Nos próprios pensamentos, medos, nas prisões que a mente causa. E aquilo é triste, difícil, exaure o ser humano em sua capacidade vital.

É necessária uma revolução pela qual possamos entender de uma vez por todas que não é algo digno de ser comemorado quando você tem mais reclamações que seu colega de trabalho ou sua cunhada.

Quando você se senta na mesa de almoço de família e cada um fica contando sobre seus problemas. Quando você se orgulha dos exames que fez pelo fato de saber o quão doente está. Quando bate no peito para dizer que a vida está difícil e que tem muitas dívidas, "mas tá todo mundo assim".

E de cerveja em cerveja, as reclamações em família vão ficando mais constantes, as pessoas se condicionam à contaminação em massa. Até que alguém quebre um ciclo e decida não perpetuar essa maneira de enxergar a funcionalidade das coisas.

Quando você vai deixar de ser aquele palito de fósforo que continua ali fazendo tudo pegar fogo? Quando vai dar um basta e começar novas relações, mais saudáveis? Quando vai começar a ver a vida de maneira mais positiva, criando oportunidades para ter mais felicidade dentro do seu dia a dia? Essa é a pergunta de milhões.

Investigue sua vida e responda com sinceridade se está pronto para essa nova jornada.

Capítulo 19
Eu só QUERIA ser visto

> "Conhecer a si mesmo é o começo de toda sabedoria."
> - Aristóteles

Era uma vez uma menina que não recebia muita atenção da mãe. E essa história você deve conhecer de cor e salteado: essa menina não tinha atenção, amorosidade, afeto, e estava sempre buscando uma maneira de pedir essa atenção e esse afeto. Como não conseguia, criava maneiras de fazer isso por meio de doenças. Um dia era uma dor, no outro uma moléstia qualquer. Foi criando esse padrão em seu comportamento e atraindo para si um padrão de vítima das circunstâncias. Um padrão que era conhecido e alimentava suas dores. Fazia com que tivesse a atenção tão desejada dos pais, dos amigos. Era uma coitada.

Conheço muitas coitadas. Os "coitadinhos de mim" trazem uma bagagem de reclamações, de situações difíceis em seus repertórios, e sugam a energia das pessoas com seus discursos sobre como as coisas andam difíceis e tudo pode piorar.

Quando uma pessoa está nessa disputa por energia, ela acredita que precisa de amor, de atenção, mas adota uma postura para puxar a energia das pessoas em sua direção.

E continua numa interação com os outros pautada no seu "eu infantil". Ela não amadurece emocionalmente e não evolui conscientemente.

Essa pessoa geralmente suga a energia das outras.

E isso pode ser preocupante, porque quem está nesse padrão acredita que só quer ser visto, mas na verdade está roubando a energia de quem está à sua volta, num ciclo em que repete para todo mundo o quanto é fraco.

É difícil sair desse ciclo – porque quem se sente um coitado é passivo e quer manipular a atenção das pessoas manipulando o sentimento de solidariedade dos demais.

Essa pessoa acaba fazendo com que as outras se sintam culpadas porque ela está doente, porque está sozinha ou por qualquer motivo.

Ela se sente rejeitada, procura a rejeição, busca a doença como artifício para ter atenção, e confunde cuidado com preocupação.

Quem está vivendo dessa maneira não tem consciência de que está preso nesse padrão. Mas persiste numa interação danosa para todos ao seu redor.

Desde criança adotamos uma maneira de puxar a atenção e a energia das pessoas em nossa direção, e o nosso primeiro campo de treinamento foi com nossos pais.

Queríamos afeto, carinho, atenção, e de todas as formas fazíamos o possível para conseguir aquilo. Conforme percebíamos que dava certo atrair atenção dessa forma, desenvolvemos dramas de controle que sustentaram esse padrão – e ele virou uma forma de viver.

Mas como interromper esse ciclo, se ele está tão arraigado em você? Para ser visto, você não precisa estar doente, estar passando por uma situação difícil ou atrair a piedade das pessoas.

Existe um livro chamado *A Profecia Celestina*, de James Redfield, que diz o seguinte: "Cada um de nós precisa voltar ao passado, recuar à nossa experiência familiar e descobrir como os hábitos foram formados. Observar o início de cada um mantém na nossa consciência nossa forma de controlar".

Mas, assim que reconhecemos essa dinâmica, podemos observar o que está acontecendo conosco e com os outros.

Se você quer ser visto, é porque tem uma necessidade não satisfeita. Um vazio interior não preenchido que o faz precisar de energia, reconhecimento e coisas externas que o preencham.

De modo geral, pessoas assim tendem a não somente sugar a energia dos outros, como a também se sentir encurraladas no próprio beco, porque são viciadas em atenção da maneira negativa.

Elas fazem o possível e o impossível para manipular a atenção dos outros e criam ao redor de si um exército de pessoas que lhes servem. Essas pessoas não conseguem se livrar daquela maldição. Porque nem percebem que estão sendo coagidas a "ajudar" ou a "dar" energia para quem não consegue satisfazer a si próprio sozinho. É comum que tais pessoas não saibam ficar sozinhas, mas não tenham capacidade de se relacionar.

Elas se relacionam de maneira precária, atraindo atenção sempre de um jeito negativo, como se precisassem mendigar aquilo que o outro não está disposto a dar espontaneamente. Elas estão vazias delas mesmas e buscam no outro algo que as preencha. E não entendem quando não recebem, porque acreditam que o outro lhes deve sempre algo.

Um ciclo como esse é vicioso e perigoso, porque em algum momento as relações são cortadas por quem está desgastado demais de ser sugado. E as pessoas se cansam de serem usadas.

Quando isso acontece, a pessoa que quer ser vista procura outras "vítimas" para sugar atenção. Muitas vezes dá presentes e coisas materiais para "compensar" aquilo que tira do outro. Porque ela sabe o quanto demanda de todos ao seu redor e de certa forma tenta compensar e minimizar os danos causados.

A verdade é que precisamos estar atentos e vigilantes para termos consciência dos momentos em que nos desconectamos de nós mesmos.

Isso geralmente acontece quando estamos sob tensão.

Se perdemos essa ligação interior com a própria energia, recorremos às maneiras inconscientes de manipular os outros e criamos comportamentos e abordagens que trazem atenção, mas sempre da maneira errada.

Todos temos essas tendências, por isso é importante rever diariamente o pensamento, comportamento, sentimento e atitudes com as pessoas ao nosso redor.

Esses "dramas" de controle são padrões que atraem sempre o mesmo tipo de situação, e, conforme pensamos que estamos fazendo algo simplesmente porque "aquele é nosso jeito de agir", não entendemos como acabamos desenvolvendo um jeito de pensar que se torna padronizado.

A maioria de nós tem algo a ser superado, e, se o fizer, poderá compreender o significado do motivo de ter nascido na família em que nasceu, e entender as viradas da própria vida de modo que se identifiquem os padrões que se repetem.

Perceber a sequência de acontecimentos nos traz consciência do nosso caminho espiritual e de nossa evolução.

Capítulo 20
O QUE eu quero DE VERDADE?

> "Não é a carga que o derruba, mas a maneira como você a carrega."
> - Lou Holtz

Assim que comecei a escrever este livro, eu sabia que iniciaria um movimento.

A sociedade seria pautada por uma nova perspectiva, e isso trazia uma grande força para mim e para a maneira como trabalho. Ao mesmo tempo, sei que, quando decidimos dar um basta em algo, muitas forças contrárias se levantam contra nós.

E aqui não estou falando sobre energia. Estou falando sobre pessoas que não querem que você cresça, progrida ou saia do lugar.

É cômodo para as pessoas que você continue no mesmo lugar.

Mas, ao dar um basta, você inicia uma revolução pessoal que extrapola os limites de sua vida. Você impacta a vida de outras pessoas. Você inspira por meio do seu exemplo. E começa a criar novos amigos, novas perspectivas, trilhar estradas até então desconhecidas.

Isso, para quem está parado, torna-se sinal de alerta e perigo. É como se trilhar algo novo fosse sinal de que você está se distanciando da manada, daqueles que estiveram ao seu lado na maior parte do tempo. E se essas pessoas não estão dispostas a se movimentar também, ao se afastar, você sente que se integrar a novos grupos fica difícil quando aqueles antigos tentam puxá-lo de volta para velhos e conhecidos padrões.

A pergunta é: o que você quer de verdade?

Uma vida mais conectada com seu propósito de vida, com sua nova energia, prosperidade, alegria – ou estar preso às conversas que não o levam a lugar algum?

Se fazemos esse movimento de dar um basta nas relações tóxicas, inevitavelmente criamos uma rede nova, e isso pode incomodar quem achava que tinha você por perto. Essas pessoas podem dizer que você "ficou rico", que "não quer mais saber dos pobres", ou trazem qualquer frase de efeito que o faça se sentir culpado por ter deixado um bando de urubus.

É preciso fazer um esforço consciente para trilhar esse novo caminho sem sermos cooptados de volta para a antiga estrada. Porque temos a tendência de voltar ao que nos traz conforto, e, se não sustentarmos a posição de que queremos de fato mudar de vida, não conseguimos seguir na direção do progresso.

Progredir, evoluir, viver novas perspectivas... tudo isso parece perigoso quando estamos abandonados pelas pessoas que sempre nos apoiaram, mas podemos criar uma rede que nos fortaleça e nos faça sentir apoio ao nos conectarmos num caminho em que temos prazer de viver, abundância financeira, de saúde, alegria contagiante e certa dose de fé, que nunca pode nos faltar.

Já vi mulheres que, ao saírem de relacionamentos que as limitavam, buscavam parceiros parecidos – destrutivos ou violentos –, porque sentiam conforto naquele padrão.

Já vi pessoas que saíram de trabalhos desgastantes e buscaram chefes com as mesmas características porque se sentiam bem com as pessoas que as manipulavam emocionalmente. Elas sabiam lidar com chefes daquele perfil.

Já vi pessoas que mudaram o cenário de suas vidas, mas voltaram para o mesmo padrão, mudando apenas as pessoas e os lugares. Entenda de uma vez por todas: o que tem de mudar é você, porque, conforme você muda, o mundo ao seu redor muda, e você consegue provocar as mudanças externas que se fazem necessárias para a sua constante evolução.

Existe uma resistência no ser humano que nos faz poupar energia para que não tracemos uma nova rota na vida. E ficamos aprisionados nesses padrões sem perceber. Não conseguimos viver de fato, porque aquela força nos puxa de volta ao mesmo estágio onde estávamos. **Pergunte a si mesmo o que você quer de verdade.** A resposta pode não vir agora, dê-se um tempo.

Essa é uma das perguntas mais poderosas que podemos fazer a nós mesmos. Talvez a única que pode nos trazer uma resposta verdadeira e digna de nosso compromisso.

Sou do time que gosta de gerar mudanças, de gerar novas formas de viver, de criar, de trazer prosperidade. Estou sempre em busca do novo, reinventando minha forma de trabalho, meu jeito de viver, criando a vida de maneira criativa para que nada fique estagnado. E gerar esse movimento é viver. Esse deveria ser o movimento de que o ser humano precisa. Um movimento que nos traz mais musculatura do que academia. Um movimento de perceber o que o impulsiona de fato.

Quem se questiona sobre os hábitos que lhe foram impostos pode ter o poder de mudar antes que seja tarde.

Tenho uma aluna que certa vez precisou fazer uma ressonância magnética da coluna para descobrir a razão de suas dores na nuca. Era uma tensão na cervical que não foi diagnosticada com exames. O médico sabiamente lhe disse: "Menina, você precisa levar uma vida mais leve". Ela saiu do consultório sem entender como um médico havia dito aquilo. E por sorte ela tinha encontrado um profissional que a alertou para mudar seu estilo de vida.

Em seu caso, a dor vinha quando estava tensa, quando se sentia obrigada a fazer coisas que não queria, quando pressionava a si mesma. E começava a condicionar o próprio corpo a trazer essa resposta na sensação física de tensionamento. Quando ele disse as palavras mágicas "você precisa levar uma vida mais leve", interrompeu um ciclo e fez com que ela refletisse sobre a maneira como estava conduzindo a própria vida. Não tinha qualquer coerência com aquilo que queria. Então, entendeu que estava indo pelo caminho contrário ao que seu coração apontava.

O que ela queria de verdade era uma vida mais equilibrada, com alegria, satisfação pessoal, trabalho cheio de propósito. O que ela tinha era uma agenda repleta de compromissos com pessoas das quais não gostava, simplesmente porque tinha que cumprir uma agenda social em nome de seu trabalho. Só que, ao perceber como isso gerava tensão, jogou fora todos os padrões e passou a enxergar a si mesma com mais leveza e carinho. Não podia se sufocar tanto.

Quando conto isso, é porque sei que cada história gera identificação com um tipo de leitor, e esse tipo de história é comum e faz com que você se reconheça em padrões que estão tão repetitivos que você mal entende como sair deles. Não perca mais tempo tentando se encaixar onde a vida não permite que você fique. Não perca mais tempo utilizando-se de estratégias para se encolher, diminuir-se ou tentar fazer mais coisas do que dá conta, para satisfazer um ego insaciável por resultados.

Entenda o que o preenche, o que o faz feliz, crie uma atmosfera de paz, de alegria, que cumpra esse papel, e faça isso no seu dia a dia. Não espere o final de semana para desestressar.

A vida é curta demais para vivermos períodos de estresse constante.

O preço que pagamos é muito alto, e não vale a pena continuar nesse *looping* em que você encontra a dor, foge dela e a recolhe novamente. Isso não traz qualquer evolução para o ser humano.

Aprenda com a sua dor quando ela vier e perceba aonde você verdadeiramente quer chegar, aonde almeja chegar como ser humano, em que estado, com qual estilo de vida, conquistas, saúde?

Posso lhe garantir que isso é uma conquista assim que admitimos a nós mesmos que podemos. E admitir é se sentir merecedor. É olhar para sua trajetória e entender que ela o colocou onde você está agora para que você entenda algumas coisas, e que você mesmo pode sair daí e criar uma nova rotina, um novo sonho, uma nova perspectiva de vida que faça sua potencialidade florescer, sua missão vir à tona, e lhe mostre como realizar seus sonhos e os de outras pessoas.

Seja a luz que você quer ver no mundo.

A mudança, a alegria e a pessoa que gostaria de ter por perto.

O que eu quero de verdade é que você se enxergue como uma pessoa capaz de transformar a própria vida. Sem muletas.

Capítulo 21

Dê um basta nos memes

> "Somos o que pensamos. Tudo o que somos surge com nossos pensamentos. Com nossos pensamentos, fazemos o nosso mundo."
>
> - Buda

"A minha cara de palhaça depois de transar com ele e saber que ele não vai me ligar."

Uma amiga mandou esse meme no WhatsApp, e as outras compartilharam nas redes concordando e endossando: "Ah, é assim mesmo. É só transar que o cara sai fora". Uma outra emendou: "Por isso eu já saio com a fantasia de palhaça". E assim por diante, os comentários seguiam a linha de que os homens só queriam sair com mulheres para transar e depois as descartavam.

Acontece que esses memes perpetuam crenças que podem destruir uma relação.

Se você é uma mulher que acredita mesmo nisso, pode mudar seu jeito de agir para não ser "descartada" ou até mesmo atrair esse tipo de homem que só quer diversão, ou, pior, categorizar todos os homens no mesmo balaio, sem dar oportunidades de experimentar conexões reais.

A verdade é que muitas vezes a internet é um território em que esses memes são comuns e caçam cliques, porque as pessoas se identificam com algo que já aconteceu uma única vez. Conforme elas concordam, comentam, a crença ruim se fortalece, e aquilo passa a se tornar um padrão mental.

Dei um exemplo que pode parecer bobo, mas lembre-se de todos os memes que recebeu no grupo da família na última vez e me diga o que acha de tudo isso.

Outro dia uma amiga contou que o tio enviou um vídeo de um homem sentado no sofá com um cão de guarda do lado, para que a mulher não mexesse na carteira dele enquanto ele cochilasse. Ela ficou tão horrorizada com aquele meme do qual todos davam risada e diziam "preciso de um desses" que escreveu, dando um basta naquele machismo familiar: "Ainda bem que não tenho marido e ganho meu dinheiro. Deus me livre precisar assaltar a carteira de um homem".

Todos ficaram em silêncio, e aquilo gerou um desconforto. Quero que você saiba que muitas vezes se posicionar vai gerar desconfortos, porque você vai dar um basta numa sucessão de comentários antiquados que podem até ferir as pessoas, mas são repassados como se aquilo correspondesse à realidade.

Quem nunca recebeu um meme racista, homofóbico, machista ou que trazia uma realidade que não era bacana de ser compartilhada e acabou perpetuando aquela opinião? Isso é reflexo de crenças instaladas na sociedade e nas quais precisamos dar um basta.

No caso do meme da "palhaça", a ideia era de que homens não querem relacionamento. No da carteira, de que homens trazem o sustento da família e mulheres querem assaltar o cartão de crédito do marido. Entenda que, na maioria das vezes, as crenças surgem em forma de "brincadeiras" que você sustenta – e assim acaba deixando de criar a sua visão de mundo.

Uma aluna contou certa vez que sua terapeuta estava com covid e havia feito o seguinte comentário: "O problema é que preciso dormir em outro quarto, separada do meu marido". A aluna, vendo a terapeuta com seus quarenta anos de casada, fez a brincadeira: "Hahaha, então não é problema. São férias!". E a terapeuta simplesmente respondeu: "Mas quem disse que eu quero ficar longe dele?".

A verdade é que as brincadeiras muitas vezes são sustentadas. Se a terapeuta não tivesse a sacada de responder aquilo, criaria no ambiente interno da aluna que todo relacionamento longo precisa de umas férias. E não era aquilo que estava em questão. Somos uma máquina de criar crenças. Ao fazermos isso inconscientemente, trazemos uma bagagem infantil e cheia de rótulos inconsequentes e mentirosos sobre a realidade.

Dar um basta nos memes é observar se aquela brincadeira faz realmente sentido ou apenas perpetua uma opinião do senso comum. Na maioria das vezes, é o segundo caso que está em jogo.

O ser humano traz preconceitos nas mais variadas formas, e eles acabam sendo propagados sem que percebamos.

O basta que sugiro nesse sentido é o de entender a sua relação com tudo aquilo que vem à tona nesse conteúdo que circula pela internet.

E, primeiramente, dar um basta em seguir aquelas pessoas que não agregam nada na sua vida e só trazem as velhas frases prontas que caçam cliques e não apontam soluções.

Nos grupos, ser a pessoa que dá um basta às vezes significa deixar o grupo, ou se posicionar a respeito de algo abusivo.

Dar um basta nem sempre é gostoso.

Às vezes nos faz ter de tomar posições desagradáveis porque temos de mostrar que não estamos de acordo com algo.

E nem todo mundo quer ser o "chato" das relações. Só que, se ninguém se levantar, a vida continua como está, os memes e tudo aquilo que está ali simplesmente criando falsos paradigmas – alimentando o inconsciente das pessoas e as fazendo imaginar que "a vida é mesmo assim".

Entenda que existe uma indústria por trás de tudo isso tentando alimentar o senso comum, tentando prender você ao status quo, fazendo com que não pense por si mesmo, não crie sua própria identidade, não tenha ideias próprias nem saia da manada.

Quero deixar claro que nem todo meme é cheio de crenças; muitas vezes existem coisas engraçadas na internet. Só que, para criar conteúdo engraçado, as mães são estigmatizadas, as relações, os homens, as sogras e tudo mais.

Ainda me lembro de uma amiga que contou que estava falando sobre sogras e queria que a pessoa que estava com ela concordasse com a opinião de que sogra era melhor "nem tão perto que possa ir de chinelo, nem tão longe que possa vir de mala". E a pessoa, além de não rir daquele comentário, disse que sua sogra era na verdade ainda mais carinhosa que sua própria mãe com sua família, que ela adoraria que a sogra passasse mais tempo com eles e que tinha o maior orgulho de dizer que aquela mulher que ela tanto admirava era sua sogra.

Muitas vezes destruímos crenças deixando as pessoas de queixo caído quando trazemos nossa realidade à mesa. Mas não é todo mundo que está disposto a fazer isso. Tem gente que prefere simplesmente dar risada e seguir o baile.

O que sugiro aqui é que você tenha um senso crítico capaz de discordar quando for necessário e trazer coerência para o que for dito e repetido.

Não repita as coisas que todo mundo diz quando não concorda com elas. Corrija, se possível. Dar um basta é interromper um ciclo, e muitas vezes você vai estar ali justamente para assumir esse papel.

Não tenha vergonha de se posicionar, de dizer o que pensa, de parecer sem senso de humor. Porque também não é nada engraçado rir às custas de mentiras, dos outros ou de algo que possa diminuir alguém.

A sua realidade é sua.

Você é um indivíduo único.

Não baseie a sua experiência no filtro dos outros. Isso vai fortalecê-lo e fazer com que construa o seu caminho – que é único.

Seja quem você é.

Apesar dos memes que estigmatizam as pessoas, enfrente os preconceitos com coragem e siga aquilo em que você acredita. Mesmo que o mundo todo possa estar dizendo exatamente o contrário.

O que cria sua realidade é seu mundo interno.

Capítulo 22

O processo de individuação do ser humano

> "A felicidade não é algo pronto. Ela é feita das suas próprias ações."
> - Dalai Lama

Existe um processo chamado "processo de individuação" do ser humano, e ele é um processo um bocado doloroso. Conforme o psiquiatra Carl Jung, a meta desse processo é que realizemos nossa personalidade originária, em todos os seus aspectos. Esse desabrochar do nosso potencial faz com que confrontemos nossos "aspectos sombrios". E está tudo bem com esse processo, faz parte de nossa evolução.

Por isso, não é fácil, já que reconhecemos cada um deles e nos despimos de uma persona. Segundo Jung, isso não tem nada a ver com individualismo. É um processo que nos estimula a criar condições para que cada um possa despertar o melhor de si e do outro o tempo todo.

De que forma isso acontece? Fazendo com que saiamos de um isolamento e tenhamos uma convivência mais ampla e coletiva, conseguindo assim manter a individualidade mesmo dentro de um espaço cheio de gente diferente.

A individuação é um processo de formação que nos torna individuais, mas que pede relação humana para que isso aconteça. Só que, mais uma vez, aqui o autoconhecimento entra como peça-chave **nessa quebra de padrões de comportamento.** No entanto, tudo isso passa por algumas fases, e, se estamos falando em dar um basta nas atitudes que são ruins para sua vida e não agregam em nada, é preciso criar uma nova maneira de ser e estar no mundo.

A primeira fase é a de conscientização da persona.

Todos usamos máscaras para seguir a vida social, mas muitas vezes elas acabam se confundindo com o verdadeiro eu, e isso traz conflito.

Quando nos identificamos demais com a persona, não sabemos mais quem somos, por isso a conscientização se torna tão importante.

A segunda fase é a assimilação da sombra.

Na psicologia de Jung, a sombra representa os aspectos rejeitados pelo ego que geralmente projetamos em outras pessoas. Nosso ego olha para tudo aquilo como se fosse negativo, e apontamos no outro aquilo que não queremos enxergar em nós. O reconhecimento de todas as partes compõe o processo para nos tornarmos indivíduos.

A terceira fase chama-se confronto, que é um certo despertar, e logo em seguida vem a conexão consigo mesmo. Nessa fase os conteúdos conscientes e inconscientes são integrados, formando uma unidade psíquica. Assim, o centro da psique torna-se o *self*, e não o ego. Por isso o processo de individuação é uma constante em nossas vidas, porque o inconsciente não pode ser completamente assimilado.

Esse caminho que leva à individuação nos coloca em posições contraditórias e pode causar certo sofrimento. Assim, precisamos manter o contato com a realidade constantemente. Quando passamos por esse processo, nos tornamos únicos e entendemos que nossa individualidade é a nossa singularidade mais íntima. Dessa forma, nos tornamos incomparáveis. Individuação é mais ou menos "tornar-se si mesmo".

Nesse processo nos tornamos quem somos, e "só se chega ao que se é quando se pode se perder do que parece que se é". Por isso é preciso ter empatia com suas partes e entender que podem existir aspectos desagradáveis no crescimento.

Isso acontece porque sua consciência acessa algo indesejável ou enxerga aquilo como uma catástrofe e tenta evitar. É exatamente assim que a personalidade consciente se revolta contra a manifestação do inconsciente. Como se duas pessoas brigassem dentro da sua mente. Podemos ir com calma, sem pressa e sem comparações.

O guru indiano Osho tem uma reflexão interessante que ele chama de "Tente entender o ego", no capítulo 12 da obra *The Fish in the Sea Is Not Thirsty* ("O peixe no mar não está sedento", em tradução livre):

"Tente entender o ego, analisá-lo, dissecá-lo, olhá-lo, observá-lo, de todos os ângulos, e não tenha pressa em sacrificá-lo. Caso contrário, o maior egoísta nasce: a pessoa que pensa ser humilde. A pessoa que pensa não ter ego.

Isso é mais uma vez a mesma história jogada num nível mais sutil. Isso é o que as pessoas religiosas têm feito ao longo dos séculos – piedosos egoístas fizeram. Eles fizeram seus egos ainda mais decorados, isso tornou a cor da religião ainda mais sagrada. O seu ego é melhor que o ego do santo. O seu ego é melhor, muito melhor – porque o seu ego é muito grosseiro, e o ego grosseiro pode ser entendido e cair mais facilmente que o sutil, o ego sutil jogará tais jogos, isso é muito difícil. Será necessário absoluta consciência para identificá-lo".

O objetivo seria que chegássemos a uma completude na qual integrássemos luz e escuridão; sendo assim, se conseguimos enfrentar esse processo, nos realizamos de maneira máxima. Jung dizia que essa seria "a obra a que se chega pela máxima coragem de viver, pela afirmação absoluta do ser individual e pela adaptação mais perfeita possível a tudo que existe de universal, aliado à máxima liberdade de decisão".

Mas o "peso da humanidade e dos costumes eternos leva as pessoas a preferir o caminho planejado em direção a metas conhecidas". Dessa forma, é preciso que criemos esse estado de consciência para levar a um desconhecido.

Assim, a personalidade eminente surge como uma nova força, e esse fator é denominado por Jung como "designação". "O que cada personalidade tem de grande e salvador reside no fato de ela, por livre decisão, sacrificar-se a sua designação." Seria entregar-se à vivência da máxima liberdade de decisão própria. E aí o ego precisa ouvir outras vozes, mas passa a ser conduzido por algo maior, e não por crenças e caminhos já trilhados. Assumir essa atitude é dizer "sim" a você e a todas as suas sombras e forças.

O objetivo disso tudo é reconhecer a si mesmo. Mas sabendo que se você se apegar ao "antigo eu", terá sofrimento e resistência, porque o apelo do novo eu é claro.

Se você achar que estou sendo muito complexo neste capítulo, pode ler novamente ou dar-se um tempo, voltar aqui depois. Quando falamos de nossa existência, não existe receita nem fórmula pronta. Geralmente essa harmonização traz um choque inicial, já que o ego se sente tolhido de suas vontades. E é exatamente por isso que esse mesmo ego passa a acusar Deus, a economia, as pessoas à sua volta, porque não sabe a origem da própria frustração. Porém, quando essa experiência de integralidade é vivida como insuportável pelo ego, o indivíduo pode observar como está vivenciando o processo e evitar as consequências desagradáveis de uma individuação reprimida.

Por isso a palavra-chave é **"permitir"**. Permitir que todo o interno demonstre o que deseja de si. E, a partir do momento que essa consciência surge, pode-se desenvolver todo o potencial em seu íntimo.

Deixo você com este texto leve e profundo de Chico Xavier:

Você mesmo

Lembre-se de que você mesmo é o melhor secretário de sua tarefa, o mais eficiente propagandista de seus ideais, a mais clara demonstração de seus princípios, o mais alto padrão do ensino superior que seu espírito abraça e a mensagem viva das elevadas noções que você transmite aos outros. Não se esqueça, igualmente, de que o maior inimigo de suas realizações mais nobres, a completa ou incompleta negação do idealismo sublime que você apregoa, a nota discordante da sinfonia do bem que pretende executar, o arquiteto de suas aflições e o destruidor de suas oportunidades de elevação – é você mesmo.

Permita-se!

Capítulo 23

PERMITA-SE ser você

> "Viver é acalentar sonhos e esperanças, fazendo da fé a nossa inspiração maior. É buscar nas pequenas coisas um grande motivo para ser feliz!"
>
> - Mario Quintana

Se estamos falando de se libertar de crenças e dar um basta em tudo que afeta negativamente sua vida, precisamos estar atentos ao que pensamos, sentimos e vibramos, certo? Para isso, não adianta nada ter a consciência de quem queremos ser, se continuamos com as velhas atitudes de sempre que nos levam para os mesmos lugares.

Não se trata apenas de escolher melhor os pensamentos e a convivência. Trata-se de mudar a si para não ser tão contaminado pelo meio externo. Não vamos virar monges e fugir para as montanhas. Não é essa a ideia aqui. A ideia é interromper ciclos tóxicos e destrutivos e criar novos.

Para isso, você precisa se permitir. E aí entra uma nova fase da brincadeira, que é muito mais divertida.

Quem você sempre quis ser? Se quiser, pode escrever aqui mesmo:

_____

_____

_____

_____

_____

_____

_____

Agora pense, não estou falando de um personagem, muito menos de uma profissão ou perfil no Instagram. Estou me referindo à vida de verdade.

Volte e veja sua resposta...

Sem seguir padrões pré-estabelecidos. Se você nunca sonhou com um casamento de comercial de margarina, mas só estabeleceu vínculos porque seus pais viveram esse aparente comercial, é hora de perguntar a si mesmo: "Eu quero isso para mim?".

Se você nunca quis filhos, mas a pressão social é para que tenha, pergunte a si mesmo se esse é um desejo seu ou da sociedade. E assim por diante. Porque permitir-se é poder bater no peito e dar conta das suas necessidades, vontades e desejos. Mesmo que eles não estejam de acordo com o que o mundo ao nosso redor quer. Quando me permiti viver minha vida como sempre desejei, sem dar vazão ao que os outros achavam ou pensavam de mim, foi uma fase muito libertadora.

Hoje vejo pessoas tão presas em circuitos fechados, sem conseguir assumir quem são ou o que querem. Sem permitirem a si mesmas viverem uma vida de acordo com seu próprio referencial e vontades.

Se você quebrou as crenças e está num processo de individuação, como falamos nos capítulos anteriores, está a um passo de começar uma nova vida.

Já está dando "bastas" nas relações que estão minando seu potencial e criando comportamentos que estão mais alinhados com seus valores e sua essência.

Isso traz uma série de consequências positivas na sua vida, como um estado de vitalidade maior – porque ser quem você é não tem preço.

É visível quando observamos uma pessoa em seu estado pleno.

Ela não dá bola para o que os outros falam, não segue a cartilha da sociedade, cria seu destino, manda na própria vida e tem autonomia em tudo que faz. Esse tipo de pessoa geralmente é visto como seguro de si, e às vezes invejamos essas pessoas quando não estamos no mesmo estado.

Aí podemos dar um basta naquelas vozes internas que dizem "você não deve fazer isso".

Sabe quando você se recriminava por usar uma saia curta demais, ou um decote, ou fazer algo pelo qual sabia que seria julgado? Pois então: dar permissão a si mesmo passa pelo dever de ser fiel aos seus desejos e vontades, sem precisar se justificar ou ter vergonha da opinião alheia.

Luiz Gasparetto, meu primeiro professor de prosperidade, sempre dizia uma coisa que uso até hoje: solidão é a distância que o separa de você mesmo, e não a distância que o separa dos outros.

Muitas vezes as pessoas que irão julgá-lo pelo seu comportamento estão mais próximas do que você imagina, por isso a dificuldade de crescer e se desenvolver é ainda maior.

Sabe na adolescência, quando estamos descobrindo a nós mesmos e muitos chamam esse processo de "aborrescência"?

Nessa fase temos a grande oportunidade de nos transformar em quem queremos ser. Em quem queremos nos tornar.

Mas os pais que queriam aquela garota boazinha, por exemplo, vão se chocar ao ver que aquela criança não quer ser aquilo que eles esperam. E ela acaba indo para um caminho contrário, justamente para romper com o padrão imposto pelos pais. Ela quer quebrar as correntes na marra.

Muitos pais não enxergam esse processo e acabam culpando, criminalizando, deixando aquele indivíduo cheio de medos, culpas, castrado e indefeso diante do mundo.

Ao invés de dar apoio emocional, incutem medo para que aquela pessoa cresça da forma como eles querem que ela cresça e seja quem eles querem.

Só que aquela pessoa é diferente. Ela nasceu para ser única.

E é natural que exista essa quebra, porque ela não aguenta mais ouvir as mesmas coisas que os pais querem. Ela quer as músicas dela, as cores dela, a vida dela, as amizades dela. Que são diferentes do que os pais aprovariam.

A verdade é que estacionamos aí: não nos permitimos ser quem somos porque nessa fase entram os julgamentos, as críticas, as maldições familiares, o processo de culpa por ser quem queremos nos tornar e principalmente a autossabotagem, porque vemos que, conforme vamos nos individualizando, vamos nos tornando diferentes.

Temos medo de deixar de pertencer à nossa família. Medo de não ser mais aceitos pelos nossos pais, que tanto nos amavam por fazermos exatamente aquilo que eles queriam.

Então, mesmo adultos, os gatilhos estão disparados.

Voltamos dez casas. Queremos proteção, amor, queremos voltar a ser crianças indefesas porque não confiamos no nosso eu, na nossa capacidade, no nosso potencial infinito. Ficamos presos às crenças, ao modelo pré-estabelecido, e deixamos de nos permitir viver. Só que a vida cobra seu preço, e começam as crises existenciais.

Permitir-se viver é saber que temos escolhas e que não devemos reproduzir modelos que as pessoas que amamos aprovam. Geralmente, quando uma pessoa da família quebra os modelos, ela abre portas para que os outros possam se permitir.

E esse "fardo" fica pesado, porque a pessoa carrega o rótulo de ser "difícil". No entanto, ela apenas se permitiu ser ela mesma. A contradição disso é que é mais leve e gostoso ser quem se é de verdade.

Quem se permite faz o que quer, quando quer, não segue padrões, dá um basta nas mesmas conversas, cria uma vida criativa, sem rótulos, entende a si mesmo e suas necessidades e torna a vida um ambiente psiquicamente saudável.

E quem está ao seu redor é capaz de sentir isso, porque naturalmente vê que aquele ser humano não está em sofrimento. Ele está exatamente onde quer estar, fazendo aquilo que tem vontade.

Não estou dizendo aqui que os pais devem ser permissivos com os filhos. Limites são importantes para que o rio siga seu curso. E é por isso que ele tem margens. Mas não devemos estancar o fluxo do rio, e sim permitir que ele siga, trazendo margens que delimitam algumas coisas.

No seu caso, pergunte a si o que é se permitir. É largar esse modelo de "mãe perfeitinha"? De "profissional dedicada e responsável"? É deixar a casa bagunçada e parar de se preocupar tanto com o que as visitas vão achar? Para cada pessoa existe um "permita-se". E é fundamental que você entenda o que deve permitir na sua vida e o que deve se permitir a partir de agora.

Não sei nesse momento o que é seu "permitir", mas aí no seu íntimo você sabe bem. Sua alma fala, grita, às vezes, e você não ouve.

A prosperidade não flui para quem não deixa fluir sua essência.

Já vi mulheres separadas que não se permitiam sair para se divertir porque achavam que as pessoas as julgariam porque os filhos ficaram em casa. Já vi mulheres casadas que não se permitiam sair com amigas porque as pessoas as julgariam porque não estavam acompanhadas dos maridos. Já vi mulheres solteiras que não se permitiam um relacionamento com alguém de outra religião com medo do que a família iria pensar.

A verdade é que temos um juiz interno que fica ali o tempo todo tentando ditar as regras do jogo. E não entendemos que quem cria as regras somos nós.

Permitir ser você mesmo é cortar o cabelo do jeito que você gosta, não como sua irmã acha bonito. É usar aquele tipo de roupa que você considera adequado, não o que seus pais aprovariam. É ser a pessoa que você quer se tornar, não a que as outras aceitariam ao lado.

Muitas pessoas deixam de se permitir muita coisa quando estão casadas porque o parceiro não aprova.

E isso é matar a si mesmo todos os dias. Porque você vai minando suas vontades e desejos em prol do outro e para de ser fiel a si mesmo.

Ser fiel a si mesmo é permitir que esse indivíduo maravilhoso criado por Deus venha à tona.

Já se permitiu?

Capítulo 24

MUITO PRAZER!

> "A paz vem de dentro de você mesmo. Não a procure à sua volta."
>
> - Buda

Quando você começa a dar um BASTA nas situações, pessoas e até em si mesmo (sim, muitas vezes precisamos apenas dar um basta na nossa mente para seguir adiante!), olha no espelho e nem sempre se reconhece. Pois, depois de jogar no lixo as crenças, os medos, as limitações, e começar um novo caminho, dando permissão a si mesmo para construir uma nova pessoa, você pode ir até o espelho e dizer **"muito prazer!"**.

Porque alguns dirão: "como você está mudado!", e você vai sorrir com o canto da boca. Está, sim. Ainda bem. E que pena que as pessoas não mudaram.

Não se assuste se alguém perguntar "o que foi que você fez que está diferente?". Mudar é evoluir, é se transformar. É buscar a versão mais autêntica de si. É se permitir viver. E, nessa jornada, não nos reconhecemos, e às vezes vem um grande desafio: e agora? Vou ficar sozinho porque todo mundo estacionou e eu evoluí!

Calma lá antes de criar uma crença na sua mente. A primeira coisa que deve entender é que nos relacionamos com o tipo de pessoas que atraímos em determinados momentos de nossas vidas. Isso quer dizer que, se você saiu de uma relação doentia e se tornou uma pessoa empoderada e corajosa, provavelmente vai atrair alguém na mesma sintonia, com os mesmos objetivos, vibração e desejos que você. Essa é uma lei universal.

Então, não tenha medo das novas pessoas que entrarão em sua vida, porque inevitavelmente você vai passar a conhecer mais pessoas, e pessoas que agregarão em sua vida de diferentes formas. Eu sou prova viva disso.

Se eu seguisse o que meu pai queria para mim – que era a vida de feirante –, estaria vivendo no interior, falando com as pessoas que sempre conheci, e talvez tivesse muita prosperidade vendendo peixe, mas não seria feliz. Viveria uma vida talvez de fartura, talvez de progresso. Mas não teria novas pessoas, nem oportunidades, por medo de viver o que eu estava pronto para viver.

Quando identifiquei minha missão de alma e me joguei na internet para compartilhar conhecimento, entendi que não tinha como retroceder. Aquele era eu, ou melhor, este que está aqui agora com você, por meio destas palavras, sou eu. Sou eu em tudo que amo fazer. Sou eu em tudo que digo "não". Você só é você quando consegue ser sem medo de julgamentos e assume o risco de ser quem é.

E então, quem me conhecia da infância dizia "você mudou". Sim, eu mudei. E que bom que possibilitei essa mudança. Já pensou se eu ficasse reproduzindo apenas o que os outros ditavam que eles achavam ser o correto?

O fato é que temos uma vida toda e a desperdiçamos com medo das mudanças. Costumo dizer que, sempre que você fala SIM querendo dizer NÃO, morre um pouquinho de você. Conforme mudamos, trazemos novas pessoas para perto, novas oportunidades. São construções que fazem de nós seres humanos mais capazes.

Já tive alunas que começaram namoros com pessoas com que sempre sonharam logo depois de entenderem a melhor versão de si mesmas. Isso aconteceu porque elas se permitiram ser quem eram – e não quem o outro aprovaria. Dessa forma, atraíram pessoas que estavam na mesma pegada, na mesma linha de evolução.

Ser você mesmo é inspirador, e isso faz com que as pessoas que o rodeiam queiram estar perto, porque sentem uma vibração nova. Aquelas que estão tentando evoluir começam a quebrar as cascas, e surge uma revolução de borboletas saindo do casulo.

Pode parecer desafiador no começo, mas cada passo dado é uma vitória.

Lembre-se de não se comparar com a história e os resultados dos outros.

Estamos trabalhando em novos e poderosos hábitos.

Se você consegue estabelecer novas relações sem medo, entendendo que suas novas atitudes e posicionamento diante da vida lhe trarão inúmeras possibilidades, é arrebatador.

Nessa hora você pode atrair o emprego dos sonhos, concretizar o projeto de sua vida, fazer as coisas darem certo de uma maneira ímpar. Simplesmente porque está alinhado com suas expectativas, valores, porque está feliz.

A felicidade e a alegria alimentam o cérebro, e o estado dominante se torna uma vida próspera e feliz, com oportunidades mais alinhadas com aquilo que você quer viver. Sabe quando tudo parece caminhar para aquilo que você sempre quis? Sua vida fica criativa, as coisas começam a prosperar, o mundo parece conspirar a seu favor?

É disso que estou falando quando me refiro a uma vida próspera. É uma abertura de possibilidades, caminhos não imaginados pela mente. É o Universo agindo a seu favor de maneira constante e ininterrupta.

Mas, para isso acontecer, você precisa se colocar na sua agenda.

Estabelecer suas prioridades, entender que é capaz de agir a seu favor. Seguir sua intuição, seus instintos. E estar alinhado ao que veio para ser. Sem medo do que as pessoas vão achar ou de quem vai ficar pelo caminho. A evolução pede passagem, e a sua vida não pode depender de tudo que está lá fora.

Dar um basta permite que um novo caminho seja trilhado. Sua vida começa de repente a ir para trajetos desconhecidos, mas que inspiram as pessoas. Você começa a introduzir um novo jeito de falar, de pensar, de agir, de se posicionar no mundo, e isso cria um novo eu.

Assim, você se surpreende com o tanto de coisas que pode produzir, criar. A prosperidade da qual tanto falo é uma continuação disso tudo, porque ela chega naturalmente quando você está alinhado com sua essência, despido de crenças limitantes, cheio de energia vital, vontade de ser melhor e mais coerente consigo mesmo.

Tudo que o Criador quer é que tenhamos o nosso caminho, a nossa missão, que desenvolvamos o nosso potencial máximo. E isso só depende de nós. Da nossa capacidade de sair do ovo, de quebrar correntes, de ser quem viemos para ser e entender como podemos contribuir para o mundo sendo quem somos.

Conforme somos aquilo que somos de verdade, o espanto pode surgir, mas também surge a admiração de quem presencia esse despertar, porque você deixa de seguir padrões e começa a desenvolver talentos, ter amizades absolutamente conectadas com você. Passa a ter consciência do que quer e não quer na vida e não deixa mais lixo, palavras, chatices entrarem sem ser convidadas.

Dê um "muito prazer" a esse novo eu.

E um "muito prazer" a tudo que vier, porque serão coisas novas, muito conectadas com seu novo estado de espírito, com sua maneira de ser e agir.

Mais leves, mais dinâmicas, mais bem intencionadas. E esse jogo cria ao seu redor um magnetismo, um campo vibracional que atrai mais coisas favoráveis ao seu desenvolvimento.

É como se sua vida deslanchasse de vez.

Pare de sobreviver debaixo de escombros!

Seja feliz. Seja você.

Atraia aquilo que deseja, que merece, que é seu. Porque o mundo só está esperando você se levantar, dar um basta no que vem carregando e agir.

Lembre-se só de uma coisa: o mundo não é responsável por você nem tem obrigação de aplaudi-lo; isso é responsabilidade totalmente sua.

De forma alguma espere dos outros algo que você ainda não se deu.

Capítulo 25

AS DORES DO *parto*

> "Saber encontrar a alegria na alegria dos outros é o segredo da felicidade."
> - Georges Bernanos

Todo mundo sabe – e isso não é crença nenhuma – que as dores do parto acontecem para preparar o corpo para uma nova vida. Conforme vamos tentando nos despedir do nosso eu anterior, também temos nossos ritos de passagem: são as dores da alma, que muitas vezes doem no próprio corpo.

Já vi inúmeras pessoas passando por processos em que deram um basta em relações, em carreiras, em muita coisa, e no meio do caminho caíram da cama ou foram "interrompidas" por dores desconhecidas que não tinham qualquer diagnóstico.

Uma vez, eu estava em um ritmo tão frenético e acelerado que, quando parei uns dias para umas miniférias, tive uma gripe tão forte, febres tão altas, que a única coisa que fiz foi ficar deitado na cama todos os dias das férias...

Sempre procurei ver os sinais que a vida vai me trazendo, numa gripe, numa conversa, num presente, numa viagem, num silêncio. Sempre novos aprendizados surgem para quem se coloca na vida como aluno, e não vítima de tudo.

Essas somatizações que o corpo traz quando o nosso emocional não consegue dar conta de tudo é uma prova de que precisamos estar confiantes no processo, porque basta uma dessas dores aparecerem que voltamos a vestir a capa do "coitadinho", da "criança que precisa de atenção", ou até mesmo vítimas do mundo, voltando para um ciclo de autodestruição ininterrupto.

Quando estamos observando com precisão tudo isso, temos a consciência de o que é e o que não é de verdade e paramos de criar e alimentar fantasmas que podem nos atacar no final do dia. Aqueles medos bobos de que as coisas não vão dar certo, os pensamentos catastróficos que minam sua autoconfiança, a tentação de dar dois passos para trás. Nesse momento é vital que busquemos ajuda especializada ou que tenhamos muita confiança no processo que estamos dispostos a seguir, porque podemos nos sabotar. Como eu sei? Já aconteceu comigo. Duas vezes, para ser mais preciso.

Cheguei a morar na casa da minha mãe, perder tudo, num período de plena ascensão profissional. E é comum que muitas pessoas se autodestruam nesses momentos, porque o crescimento começa a doer, a vida nova traz sensações desconhecidas, e aquele ninho tão aconchegante parece nos chamar de volta.

Se você parar para pensar, vai perceber como sua vida está indo em altos e baixos ou numa espiral.

E o ritmo quem impõe é você, embora as dores do parto sejam mais ou menos assim: contrai e solta. Ou seja: as contrações começam e soltam, e você vai se movimentando conforme elas aliviam – e chega uma hora em que o seu nascimento acontece de fato.

Uma pessoa conectada com seus processos de vida, seus ritmos naturais e momento vai sempre saber dar um basta na pressa, na pressão imposta pelos outros, naqueles que querem acelerá-la ou deixá-la num ritmo que não condiz com o seu.

É fundamental entender que a sua vida deve ser pautada por um indicador interno. Quando estamos sintonizados com nós mesmos, entendemos para onde vamos, e esse basta é sinalizar o que deve ficar lá fora. É o limite que damos para que as interrupções venham e nos desestabilizem.

Você pode sentir que tudo acontece ao mesmo tempo quando quer se livrar dessas amarras. Se a sua sintonia estiver extremamente focada no seu crescimento e evolução, você não deixa a peteca cair e continua num processo em que vai deixando o passado para trás e focando o futuro.

Porque a ideia não é ficar apenas focado no futuro ou pensando no passado: é viver o presente sabendo que você está se livrando do que passou – sejam mágoas, medos, culpas. E entrando num território novo que pode se tornar a chance de dar uma grande reviravolta em sua vida.

O que quero dizer é que, se você não entrar na onda do medo dessas "contrações" que trarão uma vida nova, naturalmente sua vida vai ser encaminhada para um movimento em que a prosperidade reina em todas as áreas. É como se você vestisse uma nova capa em que se posiciona de maneira diferente em todos os lugares – e a energia dos ambientes reconhece quem é merecedor de mais daquilo que emana.

Pode perceber: quem é alegre recebe sempre mais alegria.

O Universo só dá aquilo que você já tem! Se você puder, leia um livro que escrevi recentemente chamado *Quintessência: lei da atração acelerada*. Nele eu explico muito disso tudo.

Pode reparar numa coisa simples, nem é tão complicado ver isto: quem é triste está sempre encontrando mais motivos para se enterrar na tristeza. Quem é feliz atrai a felicidade de maneira constante.

Quando a pessoa sempre diz "não tenho dinheiro", está sempre criando mais situações para gerar mais dívidas.

Em mim basta!

E assim, a Lei da Atração funciona para todos, criando condições para que a vida possa fluir trazendo mais daquilo que a pessoa demonstra de si.

Não adianta sair de casa com uma roupa feia e esculhambada se você quer atrair um homem para namorar. O Universo é assim: ele vai lhe trazer conforme a energia que você veste – que é mais visível que a roupa do corpo, mas não enxergamos.

Então, aquela pessoa que tinha medo da vida pode ficar lá no passado e deixar essa nova pessoa entrar. Essa pessoa está apta a transitar num mundo novo, em que faz a própria sorte, não tem medo do que pode acontecer e não se deixa derrubar por qualquer evento externo, porque se fortalece com a vida.

O bom de sentir as dores do parto é que elas trazem um bebê no colo da mulher que o carregou em seu ventre. A "dor" de estudar quatro ou cinco anos é o prazer de pegar seu diploma nas mãos. É só um exemplo que você pode trazer para sua realidade. Essa "dor" não precisa ser de sofrimento, ela pode ser de transformação, de prazer, de mudanças, não necessariamente algo que vá ser difícil, trazer só sofrimento.

No curso de quatro ou cinco anos, quem só esperava pelo diploma não curtiu cada dia, cada amizade, cada conversa no intervalo, cada aula reveladora. Sinto que o segredo está em curtir cada passo. A "dor do parto" vem, e ela transforma, deixe fluir.

Então, tente se concentrar na beleza do trabalho de parto da sua alma. Em como ele pode beneficiá-lo, mudando sua perspectiva das coisas. E nas contrações, respire, entendendo que são segundos que o aproximam de algo maior. O foco deve ser sempre no algo maior, e não na dor do parto.

Não desista.

Falta pouco para você ser quem é de verdade.

Ou melhor, vou arriscar uma coisa: você, desde que pegou este livro nas mãos, está página a página criando seu novo eu.

Conforme for evoluindo, podemos trazer essa versão potente e alegre para transformar todo mundo que está ao seu redor.

Quando a vida lhe apresentar algo diferente ou empurrá-lo a fazer algo novo, não se questione se é capaz de fazer tais mudanças.

Sabemos o quanto mudar é bom, mas não sabemos como fica o final de cada fase, e ficamos na sensação de que a mudança pode bagunçar toda a nossa vida; mas, se as coisas não mudam, ficamos no apego. No medo de deixar que o novo se mostre.

Qual será seu próximo parto?

Capítulo 26
Emoções & sentimentos

> "Não há nada como regressar a um lugar que está igual para descobrir o quanto a gente mudou."
> - Nelson Mandela

Em um de meus cursos online, ensino sobre muitos sentimentos com os quais convivemos ao longo da vida.

E percebo que as pessoas não conseguem diferenciar uma coisa da outra.

Emoções vêm e vão. Se meu chuveiro quebra, eu arrumo, mas não fico ruminando aquilo por horas. Algumas pessoas, contudo, têm medo de fazer movimentos porque não querem se arrepender, e por isso quero falar sobre arrependimento.

Já ouvi dizerem "sinto um arrependimento amargo". Pessoas que se dizem arrependidas por coisas que fizeram. Nesse momento elas estão fazendo com que uma emoção vire um sentimento – e essa emoção adquire um espaço muito grande.

O primeiro passo é você fazer algo por si mesmo.

Posso até pegar sua mão e caminhar com você, mas é você quem cura a sua vida e vai pelo seu caminho. Se passar pelo processo.

O processo é importante.

E estamos estudando vários temas que lhe trazem consciência e um reconhecimento de tudo que tem feito. Às vezes somos como um rio com água barrenta e turva. Mexemos e chacoalhamos tudo, e aí fica barro para todo lado. Depois vamos limpando.

Sentimento leva tempo para se firmar e toma um tempo maior dentro da gente. Como uma planta. Se cuidamos de uma emoção, ela ganha raiz e vira árvore.

Uma coisa que eu quero que você faça é anotar com clareza do que se arrepende na vida. Será que tem consciência disso? Arrepende-se de ter se separado? De ter ficado numa relação? De ter cometido um aborto?

Do que você se arrepende agora? Quer compartilhar? Use este espaço aqui e depois visualize o que escreveu:

_____
_____
_____
_____
_____
_____
_____
_____
_____
_____
_____
_____
_____

Escrever com clareza sobre os seus arrependimentos pode lhe mostrar o porquê de cada arrependimento estar lá.

Qual o porquê do seu arrependimento?

_____
_____
_____
_____
_____
_____
_____
_____
_____
_____
_____
_____
_____
_____
_____
_____
_____

Pense com carinho. Não estamos num lava-rápido. Tem que pensar com o coração. Nesse processo, pare de se julgar. Não existem bobagens nesse processo.

Não pense nem o que vão pensar de você. Não deixe sua mente enlouquecê-lo.

Agora chega de chorar e de sofrer. Não estamos cutucando onça com vara curta. Queremos ver como você quer viver daqui para a frente. Quantos anos você vai viver? Quantos anos vai viver sofrendo por estar arrependido de tanta coisa que fez ou deixou de fazer?

Quando fazemos alguma coisa, fazemos com a cabeça que temos. O arrependimento é parecido com a culpa e com o medo. Quando sentimos isso tudo, podemos desenvolver angústias, fobias, com as quais não estávamos nem acostumados.

Jesus dizia: "enterre seus mortos". São pessoas que ficam o tempo todo falando sobre tudo por que já passaram, que já viveram, que já fizeram para ela. O arrependimento pode impedi-lo de viver, de ter prosperidade, pode fazer com que você carregue tudo nas costas.

É preciso seguir em frente, e só se faz o caminho caminhando.

Quando ficamos presos no arrependimento, é como um navio que joga uma âncora para que fique parado. Por isso os marinheiros descem e limpam os cascos dos navios, porque eles foram feitos para navegar.

Nós não podemos parar em nenhuma situação. Temos uma dor, uma situação, mas não adianta dizer "se arrependimento matasse, eu estaria morto". Se tem algo de que nos arrependemos, podemos voltar e fazer melhor do que fizemos. O ato de arrepender-se faz com que trabalhemos o autoperdão.

Está tudo bem em arrepender-se por ter saído de uma empresa, porque há outras empresas para trabalhar. Um contatinho que você cortou e depois viu saindo com outra, isso pode até doer. Não é supérfluo. Essa dor é importante.

Se se arrependeu de trabalhar demais quando as crianças eram pequenas, e as viu crescerem, esse arrependimento permeia sua vida, mas lhe faz um ser humano melhor – desde que você não sofra nem se puna com chicote.

Arrependimento é ação ou efeito de se arrepender. Remorso ou mágoa por um mal cometido.

Há três momentos muito importantes pelos quais passamos.

Arrependimento traz mudança de atitude. Se não temos a mola no fundo do poço, continuamos no fundo do poço. Tomar consciência do arrependimento e ver que pode melhorar é repensar a vida – esse é o primeiro momento.

O segundo é quando a pessoa muda de ideia e decide viver de forma diferente. Arrepender-se é passar por uma dor para chegar a uma transformação.

O terceiro ponto é que o arrependimento significa mudar de direção. As pessoas mudam de direção quando se arrependem. Alguém que nunca foi para Londres e quer morar lá pode ir e se arrepender, porque é uma cidade fria, onde anoitece às quatro da tarde. Bate o arrependimento, e ele quer voltar para seu país. Só um exemplo, mas que você pode aplicar naquilo que hoje quer mudar.

Este é um livro de BASTAS, e até para dar um basta é preciso estar maduro.

Já pensou quantas centenas de pessoas vivem um casamento infeliz porque não conseguem o basta? Arrependimento é rever a sua trajetória e mudar a direção, fazendo um movimento na própria vida. Por outro lado, há pessoas que não saem do lugar com medo de se arrepender. Sabe aquela amiga que não se separa porque tem medo de se arrepender?

O medo da partida não deixa ninguém chegar.

O medo está aí. E os estudos do cérebro mostram que, quando sentimos arrependimento, ocorre uma mudança no hipocampo.

Sentir pesar e medo de se arrepender envolve circuitos neurais que se parecem com o próprio arrependimento. Quando você sente medo ou arrependimento, existe um processo químico dentro do seu cérebro.

Não acontece nada dentro da gente sem um processo químico. É só se apaixonar para ver. Quando se está triste e abatido, existe um processo em nossos neurotransmissores. Essa substância é a mesma quando sentimos medo ou arrependimento.
Conheço pessoas que deixam de fazer coisas incríveis por medo.

Medo de falir, medo de sair de uma empresa, medo de julgamento. Por medo as pessoas deixam de tomar atitudes. Medo de casar-se com a pessoa errada, tomar uma decisão, decidir onde morar.

Quando você fica pensando muito, a mente que vagueia é uma mente infeliz. E quando você tem medo de alguma coisa, pode fazer uma autoanálise.

Você se pega vagando na sua cabeça? Você está aqui ou em outro lugar? A mente que vagueia é uma mente que nunca tem foco naquilo que deseja criar. Às vezes, arrepender-se de alguma coisa não é sinônimo de algo errado – é perguntar a si mesmo se podemos mudar. Podemos crescer enquanto pessoas.

Não deixe seu arrependimento sufocá-lo. Não deixe seus medos o paralisarem.

Tudo é treino, só por hoje!

Na hora de algum desespero mental, diga "só por hoje" não vou me arrepender, não vou sentir medo. Só por hoje.

Capítulo 27

UMA companhia indesejada

> "Nossos fracassos, às vezes, são mais frutíferos do que os êxitos."
> - Henry Ford

Tem uma companhia que não é bem-vinda nem desejada, mas que insiste em ficar na nossa cabeça por um tempo. Difícil encontrar quem nunca a teve em algum momento da vida. Já ouviu falar na famosa insegurança?

Todo mundo tem insegurança por algum motivo. Seja por causa de uma entrevista de emprego, um relacionamento, uma relação sexual. É um sentimento que enfraquece em todos os sentidos.

A proposta aqui é amadurecer esse sentimento que existe dentro de nós. Se olhamos muito para ele e colocamos foco na insegurança, mais ela cresce. Os sentimentos negativos são egoístas, e, por serem egoístas, eles têm fome deles mesmos. Conforme damos atenção para a insegurança, ela se agiganta.

Tente refletir e responder qual o contrário de insegurança, sem usar a segurança como resposta. O contrário de insegurança nem sempre é segurança. Pode ser até mesmo amor-próprio, autoestima, liberdade para agir sem medo de ser julgado.

Preste atenção nisto. Muitas pessoas perdem oportunidades por conta da insegurança. A oportunidade não evapora: ela vai para a mão de outra pessoa que estava preparada para recebê-la. Quando somos inseguros, trabalhamos um tipo de sentimento que nos coloca lá no rodapé, e a nossa vida vai ficando assim.

Está conversa é para você ir amadurecendo e entender o que faz sentido. Um sentimento só pode ser libertado quando você tem coragem de olhar para ele. Nesse momento você o amadurece e faz com que ele fique muito mais claro.

Se você tem pensamentos negativos sobre a própria imagem, dificuldade nas relações sociais, sentimentos de inveja e ciúmes, baixa tolerância a frustração, estilo de comunicação passivo sem expressar necessidades e sentimentos próprios, você é inseguro. O inseguro nunca expõe sua opinião para nada. Ele tem um nível de exigência alto, é indeciso para tomar decisões.

Sabe aquele sujeito que fala que "pega todo mundo"? Na verdade, ele está se exacerbando para mostrar algo que não é.

Essas ideias são boas para que você se enxergue e veja as pessoas à sua volta. Dessa forma você aprende a lidar com elas e consigo mesmo.

Quando sentimos insegurança, temos medo de arriscar, perdemos oportunidades, somos incapazes de dizer não e acreditamos que precisamos ser bons para ser aceitos. Toda vez que diz sim querendo dizer não, morre um pedacinho dentro de você.

Se você é incapaz de perceber seus potenciais, tem o hábito de reclamar, procrastina por medo de errar e deixa tudo para a última hora, tendo medo de críticas, e busca sempre reconhecimento externo, é incapaz de observar as próprias qualidades, tem o hábito de se autodestruir o tempo todo, porque só vê o melhor do outro e nada de bom em si mesmo.

Uma pessoa insegura é autodestrutiva, tem a crença de que é incapaz de realizar tarefas, não consegue expor as próprias ideias, tem necessidade de inferiorizar outras pessoas para se sentir superior. Sabe aquela pessoa que só aponta os defeitos dos outros? A insegurança dela é enorme. Então ela rebaixa o outro e se sente melhor. Está sempre humilhando.

O corpo reage à insegurança. Pode reparar que pessoas inseguras sentem palpitações, falta de ar, nervosismo exagerado, diarreia e transpiração intensa. Esses são os hábitos e comportamentos de pessoas que sofrem de insegurança. Digo sofrem porque isso realmente é um sofrimento para a pessoa.

Se você se identificou com algum ponto, precisa lidar com a sua insegurança, com sua maneira de falar, de agir. Se ficou pensando nas pessoas que conhece, é porque você também tem alguma dessas características – sempre que identificamos uma coisa no outro é porque também a temos dentro de nós.

A emoção não foi colocada em nós para que a gente trocasse como se fosse uma roupa. Se o carro está correndo e só se muda o mostrador de velocidade, mas a velocidade continua a mesma, não adianta fazer de conta que não sentimos o que sentimos. Por meio do que sentimos conseguimos enxergar melhor o que temos aqui dentro. É importante observar o que se sente e saber se aquilo lá fora é real ou só uma imagem.

Quantas vezes a vida nos empobrece com insegurança, tédio ou solidão? Coisa boa e positiva não vem.

Se admitimos o que sentimos, separamos as imagens do inconsciente, e, a partir disso, tudo fica mais claro. Fica mais fácil admitir o que é saudável e transformar o vazio em objetivos e coisas estimulantes.

Todo ser humano tem os mesmos problemas, não importa qual sua origem. Temos as mesmas necessidades humanas, e o que nos faz diferentes é a maneira como atendemos tais necessidades. Como são basicamente emocionais, aprendemos que elas, ao longo da vida, inconscientemente criam emoções negativas ou positivas para atender necessidades pontuais.

Fazemos isso por meio de três elementos. O primeiro deles é o **foco**. Foco é quando nossa mente coloca a imagem num objetivo específico. Um dia você tinha uma apresentação a fazer no trabalho e por algum motivo fez aquilo mal. E foi criticado. Aí saiu dali pensando no que aconteceu. Passaram-se alguns dias, e você continua pensando que não foi bem, seu foco continua naquilo. Da mesma maneira acontece na sua vida.

O foco está indo para onde?

As dores relacionadas aos nossos sentimentos.

O foco está tirando todo o nosso poder. Se colocamos foco no que não dá certo em nossa vida, ficamos inseguros.

Vamos supor que você teve alguns meses felizes numa relação e de repente é traído. Os meses que foram bons você esquece, e só se lembra da traição. A verdade é que não somos mais quem fomos. Situações que geraram desconforto fizeram com que você se maltratasse por dentro. Você repete diariamente – e conta para as pessoas – algo que aconteceu lá atrás.

Observe onde seu foco está neste momento. Observe também sua **fisiologia**. A posição de seu corpo. Pessoas inseguras transmitem a mesma linguagem na fisiologia.

Somos texto, e todos que se comunicam com a gente enxergam o que somos.

Já viu pessoas com fisiologias passivas, de dor, sem energia? Quem está à nossa volta faz a leitura da nossa insegurança. O outro lê o texto que somos. Não lemos apenas textos escritos. Lemos as outras pessoas. Dá para ler o outro.

Você pode acreditar que alguns casais acabam "engordando" um ao outro para que aquele indivíduo não seja desejado? Mudar a sua fisiologia é um exercício para sua mente, e, se você continuar com uma postura passiva, seu cérebro vai ler essa mensagem de insegurança.

O terceiro passo importante é a **linguagem**: certas palavras que utilizamos podem trazer uma tremenda carga emocional – e ela pode ser positiva ou negativa. Por isso é importante prestar atenção no nosso padrão de linguagem, porque ele determina nossas emoções. Uma pessoa que se diz insegura logo se sente dessa maneira.

Quando se olha no espelho, você se valoriza ou se maltrata?

O espelho é feito para você se amar. Exercite isso e fortaleça esse músculo. O seu padrão de linguagem faz com que você acredite naquilo o tempo todo. Você é seu principal ouvinte.

Agora vamos falar sobre as palavras que saem de você. Se pudesse se vestir com uma roupa com as palavras que saem de você, como seria a roupa que utilizaria? O que as pessoas mais veem sobre você em relação a isso?

Sei que é muita informação, mas este livro é para que você possa tratar a si mesmo. É um livro de multileituras. Volte aqui ou ali sempre que desejar, sem cobranças nem inseguranças.

Capítulo 28

O medo que o consome

> *É costume de um tolo, quando erra, queixar-se dos outros. É costume de um sábio queixar-se de si mesmo.*
>
> - Sócrates

Será que existirá um dia em que o medo não estará presente em nossas vidas? O medo apavora muitas pessoas. Quando trabalhamos esse sentimento, acabamos tendo uma reação física, porque nosso corpo responde a toda vibração do medo. Ele produz uma vibração muito baixa numa escala de sentimentos.

A espiral negativa está sempre voltada para baixo, com sentimentos que o puxam, e eles fazem-no cada vez mais engessado. O medo o engessa porque, sempre que você vai fazer algo novo na vida, precisa de coragem – e coragem é enfrentar o medo. Se você tem medo de qualquer coisa, o medo aciona seu corpo. Quando vamos para a realização de alguma coisa, essa realização é a coragem, o enfrentamento do medo.

Um soldado se prepara para uma guerra, certo? Quando a guerra chega, ele não se esconde no quartel com medo do front. Ele simplesmente vai, e não é por isso que deixa de ter medo. O medo continua existindo, mas ele o enfrenta.

Se passamos por situações difíceis, o que fazemos? Paralisamos. E não conseguimos seguir adiante. Nesse momento é importante usar o lado racional da mente. Nossa mente tem o consciente e o subconsciente – que é a camada mais profunda dela. Muitos medos já nos deixaram parados. Mas outras vezes conseguimos enfrentá-los.

Imagino uma pessoa apaixonada, quando sentiu medo de dizer que amava. Uma pessoa com medo de se sentir ignorada. E é interessante quando olhamos para o medo de uma maneira racional. Porque ele parece bobo em alguns casos. Com consciência dos sentimentos que habitam em nós, podemos trabalhar nossos medos.

Se temos clareza do nosso medo, muitas vezes outras coisas acontecem. Uma vez uma aluna disse que tinha medo de ficar sozinha, e queria engravidar para não ser sozinha. No fundo, o filho é para o mundo, e ela iria sofrer do mesmo jeito.

Será que seu medo é perder dinheiro? Já atendi pessoas ricas que temiam perder o dinheiro e voltar para a cidade natal. No fundo, o medo era enfrentar o olhar das pessoas dizendo que "não deu certo".

Olhe para seus medos e escreva quais são agora:

_____

_____

_____

_____

_____

Se preferir, pode pegar um papel extra. Mas escreva! Escrever é parte desse processo terapêutico. Escrevendo sobre seu medo da forma mais clara possível, você o traz para a consciência.

Tente representar seu medo com um nome. Pode ser "coisa feia", "coisa ruim", "sombra". Dê um nome a ele.

O medo já está fora de você, e você o transformou num personagem. Ele está na sua frente, e você deu um nome a ele. Para dar um basta no medo, você vai começar a chamá-lo pelo nome. Chame como quiser, menos de medo. Olhe para ele e o chame pelo nome, dizendo "sou muito maior que você" ou "rompo agora qualquer laço que nós possamos ter", "não tenho nenhum contrato com você", "a partir de agora, você não vive mais dentro de mim", "hoje foi o último dia que tivemos contato", "bloqueio você da minha vida", "te perdoo por tudo que você me fez", "te deixo livre para que você vá embora".

Agora basta!

Pense no sentimento que quer que entre agora para dentro de você. Respire fundo: pense no sentimento de paz, por exemplo. Passe a mão nesse sentimento. Como ele é? Redondo? Quadrado? Qual cor ele tem? Qual formato? Reconheça esse sentimento que está nas suas mãos e o apalpe. Respire fundo. Encaixe esse sentimento no seu peito com amorosidade e entendimento. Deixe suas células encaixarem esse sentimento e relaxarem nesse sentimento. Agora tente colocar uma música que lhe faz bem. Tente sentir sua respiração, sua sabedoria, sua tranquilidade. Sinta-se bem amparado e tranquilo e em paz.

Estou aqui para ajudá-lo a viver melhor. O medo pode ser uma das emoções básicas humanas. Nosso corpo responde com medo sempre que nos sentimos inseguros, e ele até nos ajuda a nos proteger, nos mantém em alerta e nos prepara para o perigo caso haja necessidade. Agora você está num ambiente seguro, e esse relaxamento foi preparado com carinho.

Provavelmente você sentiu medos quando era criança. Tinha medo de monstros, trovões, escuro. Algumas vezes eu tinha medo de perder minha mãe. E esses medos nos ajudam a crescer. O que precisamos entender, agora que somos adultos, é que muitos medos não precisam mais viver dentro de nós, e está tudo bem.

Por isso eu sempre digo: eu me amo, e está tudo bem!

Capítulo 29

PARALISAR OU CAMINHAR

> *Mesmo que já tenhas feito uma longa caminhada, há sempre um novo caminho a fazer.*
> — Santo Agostinho

Paralisar é tornar-se incapaz de agir.

E muitos de nós paralisamos ao longo da vida por medo de agir.

Quando começamos a dar um basta em tudo que é nocivo e criar condições para seguirmos adiante, muitas vezes a felicidade nos assusta, a vida nos provoca a criar novos caminhos, e começamos a ter medo de seguir adiante.

Já vi pessoas crescendo e parando. Indo mais longe do que jamais iriam imaginar e ao mesmo tempo dando meia-volta para se esconder debaixo da saia da mãe novamente.

Não conseguiam dar conta da própria potência, dos sentimentos novos, das emoções boas que invadiam o peito. Essas pessoas fugiam da felicidade, das oportunidades e de tudo aquilo que as fazia ir ao encontro de suas missões.

Você já paralisou em sua vida?

Dar um basta é querer seguir um novo caminho, e, por mais assustador que ele possa parecer, nunca pode nos paralisar. Mesmo que você dê um pequeno passo por dia, dê um passo. Não fique parado.

Por qual motivo estou dizendo isso neste momento em que você já aprendeu tantas coisas sobre crenças, sobre seus pais, seus relacionamentos, atitudes, pensamentos? Porque sei que pode ser que você coloque tudo a perder depois de se livrar de toda bagagem extra.

Você vai se sentir leve como nunca, mas vai sentir falta do peso todo que o segurava. E aí, nesse momento, parece que voar é assustador.

Parece que sair do lugar exige coragem, porque nada mais o segura no chão. Você desamarrou as correntes, soltou tudo e pode ir aonde quiser, mas o preço da liberdade é saber aonde ir e suportar a própria leveza.

Não são todas as pessoas que conseguem ver a vida fluindo, caminhar sem problemas, sem preocupações. Já presenciei pessoas que criaram problemas quando eles não existiam, justamente porque não sabiam viver sem eles.

Conheço uma mulher que queria uma relação tranquila e estável com um homem dos "sonhos". Ela encontrou um cara que era exatamente aquilo que ela sempre tinha sonhado. Ele dava presentes, a levava para jantar fora, levava para viagens e era carinhoso. Queria um relacionamento sério, a apresentou para os filhos, e, quando a pediu em casamento, ela se assustou. Começou a achar que "quando a esmola é demais, o santo desconfia", e passou a buscar motivos para brigar com ele. Mudou de atitude, começou a provocar brigas, e um dia terminou, sem motivo. Ela dizia que já tinha sofrido demais na vida e não deixaria mais ninguém fazer isso. E quem estava fazendo? Ela mesma.

O fato é que ela nunca tinha vivido um relacionamento que não fosse conturbado. Suas relações anteriores eram tóxicas, difíceis.

Quando começou a viver uma relação madura e saudável, desconfiou.

Não acreditava que pudesse ser real; ao invés de embarcar naquele sonho a dois, fugiu.

Outra amiga tinha um projeto dos sonhos com uma proposta encantadora de um canal de TV. Era exatamente tudo aquilo que ela sempre tinha pedido a Deus. Mas conseguiu se sabotar de todas as maneiras, até que o projeto não deu certo e ela repetiu: "Não era para ser".

Muitas vezes as pessoas estão tão condicionadas a ver as coisas dando errado que, quando começam a funcionar, elas estranham e paralisam. Querem de algum jeito atrasar a própria vida ou preferem não acreditar que tudo está indo tão bem.

"Deve ter algo errado, alguma pegadinha do Universo", disse uma menina certa vez quando ganhou uma bicicleta em um sorteio.

Percebe quantos de nós sonham com muitas coisas, mas, conforme aquilo começa a se concretizar, não têm coragem de ir adiante?

Entende como somos os maiores inimigos dos nossos sonhos?

Quando paralisamos diante das oportunidades, estamos dando um sonoro "não" ao Universo e rejeitando as bênçãos que chegam até nós, bloqueando que outros milagres e formas de prosperidade aconteçam.

Caminhar exige que entendamos que nada é tão catastrófico ou utópico. Existe um meio-termo. Uma relação não precisa ser a pior do mundo nem a mais romantizada. Pode ser satisfatória para ambos. Quando entendemos isso, deixamos um pouco o excesso de expectativas de lado e simplesmente entendemos que temos algo que nos faz bem. E aquilo que nos faz bem pode se tornar ainda melhor – não o contrário, já que a lei da vida é exatamente esta: vida atrai vida.

Felicidade atrai felicidade.

Há pessoas que não acreditam nisso!

Damos um basta naquilo tudo que nos fazia mal e começamos a sentir "falta" daquele empecilho. Há gente viciada em se sentir mal. Viciada em dor, em sofrimento. O que ela sabe fazer se não for sofrer e não tiver algo pelo que reclamar?

Muitos se sabotam justo quando estão a um passo das maiores conquistas. Dão um jeito de jogar tudo para escanteio. Sabe aquele jogador que está com a bola de frente para o gol e consegue dar o pior chute possível, para não decidir a partida?

Você já deve ter feito isso com a própria vida. Sentiu um pavor antes de pular na piscina para participar do campeonato. Um pavor de ganhar a medalha, de se realizar. Porque, se você por acaso faz aquilo que sempre sonhou, o que será que vem depois?

Uma aluna dizia que tinha medo de realizar seu maior sonho porque, se aquilo acontecesse, ela já poderia morrer. Não tinha mais pelo que viver ou sonhar. Ela se sabotava para chegar até seu objetivo porque tinha medo de que aquilo acontecesse e sua vida perdesse o sentido.

Outro amigo, sempre que conquistava algo, ficava triste, porque não sabia mais o que fazer da própria vida. Qual seria o próximo passo?

Por isso, muitos preferem paralisar a caminhar. Porque o próximo passo é incerto demais para seguirem adiante.

Já vi alguns pais que seguraram os filhos na infância quando já eram adolescentes, porque não queriam que eles crescessem. Como dizia Khalil Gibran, o famoso poeta, *"Vossos filhos não são vossos filhos. São os filhos e as filhas da ánsia da vida por si mesma"*.

Paralisar a vida dos filhos é paralisar a vida. Assim como água estagnada apodrece, vida estagnada adoece. Adoece o corpo e a alma, porque vida é movimento.

É como andar de bicicleta: quando você para de pedalar, pode cair e se esborrachar. É para a frente que se anda.

Não adianta querer interromper o fluxo da vida, que as coisas são feitas para serem vividas.

Quanto mais você tenta evitar a vida, mais ela dá um jeito de se impor.

E, se você a evita e dá dois passos para trás, vem o adoecer mental.

Ao lado de toda oportunidade desperdiçada existe uma pessoa doente, que está com medo das mudanças da vida, que não soube dar um basta no passado e ficou ali presa aos antigos paradigmas, sem saber como caminhar, tentando voltar ao passado, regredir, sem conseguir receber aquilo que poderia favorecê-la.

A vida é fluxo, nada permanece estático, mas somos apegados ao passado.

Se a mudança é a natureza da vida, quando nos apegamos somos contrários à Lei da Vida. Tudo está fadado a mudar.

Quando não deixamos a vida mudar, estamos apegados ao velho.

A frustração vem quando você não acompanha o fluxo da vida.

Para onde quer que você vá, flua onde exista alegria.

Esse deveria ser o único critério. Não adianta ouvir as pessoas rugirem contra suas decisões. Sua maneira de fluir é única e individual. Siga seu coração e não desvie dele. A sua natureza é evoluir.

O pensador Osho dizia o seguinte:

"Se você está vivo, os climas irão mudar, as estações irão mudar; e você terá que aprender através de invernos, através de verões, através de chuvas. Você terá que passar através de todas essas estações com uma dança em seu coração, sabendo perfeitamente bem que a existência nunca é contra você. Sendo assim, o que quer que esteja acontecendo, é bom. Vá com calma. Isso não é para sempre, isso também vai mudar. Mas não faça nenhum esforço para mudar. Deixe isso com a existência. É a isso que chamo de confiança. A existência é mais sábia que você e irá lhe proporcionar todas as

oportunidades necessárias para o seu crescimento".

Por isso, entenda que a existência é mais sábia do que você.

Confie no fluxo.

Capítulo 30
DESAPEGAR para CRESCER

> "A lei da atração não se importa se você percebe algo como bom ou ruim, ou se você quer ou não. Ela responde aos seus pensamentos. Então, se estiver péssimo por estar com uma montanha de dívidas, esse é o sinal que está transmitindo."
>
> - Bob Doyle

Amor e apego são opostos. E precisamos cada vez mais compreender o fenômeno do apego para darmos um basta nas situações que nos deixam enclausurados. Nos apegamos às situações nocivas, às coisas, ao dinheiro, a um trabalho que não é bom para nós, e não entendemos que essa é a causa da nossa angústia.

Viver é um estado de impermanência constante que muitas vezes nos causa medo, por não sabermos o dia de amanhã. Precisamos abrir mão do controle e confiar que tudo será dado de acordo com as nossas necessidades, mas estabelecer esse estado de confiança significa dar um basta nas velhas crenças de que não somos capazes.

Desapegar do passado é mais do que deixar as crenças dos nossos pais e amigos para trás. É entender que temos o poder dentro de nós de construirmos o futuro que sonhamos, sem abandonar pessoas que amamos. Elas podem existir dentro de nossos corações, mas não precisam falar dentro de nossa mente a ponto de limitar nossos passos.

Quem me acompanha muitos nas redes sociais já me ouviu falando muito "não me procure no meu passado, não estou mais lá!".

Conheço uma menina cuja mãe nunca conseguia ficar sozinha com ela quando era criança. Sempre arranjava um motivo para estar com outras pessoas, porque se sentia incapaz de cuidar da própria filha. A filha não conseguia enxergar isso na infância, mas na idade adulta sentia uma sensação de abandono frequente, e, quando estava com sua mãe, percebia que ela não parecia ser capaz de cuidar dela, mas não conseguia enxergar a si mesma como uma mulher mais forte que a própria mãe. Como uma filha seria mais forte que a mãe? Ela começou a enfraquecer, para pedir ajuda. Esse padrão se repetiu até que reconhecesse a necessidade de desapegar da imagem da mãe fraca e do abandono sofrido.

Estava reproduzindo o mesmo modelo com sua filha, como se não fosse capaz de cuidar dela. Dessa forma, um círculo vicioso era criado. Ela não se sentia capaz e fugia dos cuidados com a filha, para não ficar sozinha e enxergar que era, sim, capaz de cuidar dela.

==Desapegar não é necessariamente abandonar. Desapegar é romper com um comportamento e reconhecer que ele não precisa mais fazer parte do nosso funcionamento.==

É desapegar de pensamentos intrusivos que não agregam nada na vida. É entender que a vida funciona para a frente, e não para trás. Desapegar é confiar no futuro, deixando aquilo que não funciona mais para trás.

É entender do que você não dá conta de levar na bagagem e não ter medo de deixar de lado. É dar um basta em tudo aquilo que você não consegue porque está tão dentro da sua constituição que parece que você nem sabe existir sem isso.

Às vezes, a dificuldade de desapegar é maior que nós mesmos porque não enxergamos que aquilo nem faz parte de nós. Nos reconhecemos demais em determinados comportamentos e acreditamos que são nossos.

Por mais que tentemos enxergar a nós mesmos como realmente somos, é difícil perceber as próprias vulnerabilidades, dificuldades e padrões. Porque eles estão demasiadamente arraigados em nosso comportamento. Escondemos tudo isso até de nós mesmos. Evitamos até de nós mesmos a verdade e escondemos que precisamos de cura.

Existe sempre um problema maior do que aquele de que nos queixamos.

Frequentemente o escondemos e usamos defesas para que ninguém os enxergue. Não queremos ver o que está bem diante de nós e fazemos um circo para distrair a própria mente daquilo que tememos enxergar.

Quando nos sentimos expostos com nossos medos, parece que vamos perder nossa força, nossas defesas, e então precisamos de um bocado de paciência para agir, porque senão ficamos estacionados no mesmo ponto a vida toda.

Quem se apega aos problemas não consegue enxergar muitas vezes que tem dificuldade de ver a vida fluindo porque sua mente se acostumou com os desastres. "Como tudo pode ser tão fácil?"

Pois é: mas substitua essa crença e entenda que a vida pode ser fácil. E, se conseguir ultrapassar esse obstáculo, que é apenas uma maneira de olhar para a vida como se ela não pudesse surpreendê-lo positivamente, você vai ficar impressionado com a quantidade de bênçãos e milagres que ela pode lhe oferecer.

Desapegar é necessário para que você conserte o seu funcionamento. Para que deixe pelo caminho tudo que está tentando destruí-lo.

A sua vida vai entrar num fluxo completamente diferente à medida que você conseguir abandonar aquela roupa que vestia – que nem era sua –, mas que o fazia reproduzir velhos comportamentos.

Todos os dias temos a sagrada oportunidade de observar um aspecto de nós mesmos que precisa ser melhorado.

Esse aspecto pode estar ali esperando para ser descoberto há bastante tempo, e, se você chegar naquele ponto, talvez sinta suas estruturas balançarem, porque há vezes em que aquilo sustenta todos os seus pilares e você sente uma insegurança brutal de continuar a viver sem aquela bagagem pesada.

Ser leve, ter o objetivo de vida de prosperar, entender que a sociedade pode estar equivocada ao emitir opiniões sobre como a vida anda difícil, ir contra a manada é uma conquista das mais libertadoras, porém exige que você tenha coragem de seguir em frente a despeito de quem ou o que vá deixar pelo caminho.

Não é sua responsabilidade levar o mundo nas costas nem sustentar as crenças de seus pais para que eles se sintam seguros.

Não é sua responsabilidade fazer crenças deles serem validadas.

E preciso lhe dizer que a felicidade é uma coisa deliciosa – e você pode até sentir um friozinho na barriga quando tudo começar a dar certo.

O dinheiro entrando na conta, os contratos fechando com facilidade, a vida o ajudando a seguir em frente, aquele namorado dos sonhos aparecendo e a convidando para sair. Uma ajuda inesperada, uma festa, uma emoção. Tudo tão novo.

E você fica ali se perguntando "será que eu mereço?", "será que sei viver tudo isso?". Será que você é capaz de suportar a felicidade, a alegria de viver, a abundância, a saúde plena?

Eu acredito que sim.

Resta saber: você acredita?

Capítulo 31

Aquele BASTA bem dado

> De fato, nos condicionamos a acreditar em todos os tipos de coisas que não são necessariamente verdadeiras – e muitas delas estão tendo um impacto negativo em nossa saúde e felicidade.
>
> - Joe Dispenza

Todo mundo já teve um chefe daqueles que só sabiam reclamar, que não elogiavam, que acreditavam que a vida era só trabalho.

Mas muitos de nós já fomos essa pessoa que não conseguia se libertar das vestes de carrasco.

A pergunta é: será que o chefe, a namorada, o namorado, o pai, a mãe ou você mesmo tem sido seu carrasco?

Será que o maior culpado pela sua estagnação não está ali, diante do espelho?

Pode parecer difícil fazer essa reflexão, mas ela é necessária. Porque todos nós criamos nossas dificuldades com tremenda facilidade. Se usássemos a mesma energia para criar a vida dos sonhos, talvez tivéssemos todos a vida dos sonhos.

Só que não.

Usamos nossa potência contra nós mesmos. Acreditamos que a vida está estragada porque a mãe, o pai, as figuras lá de fora estiveram desgraçando nossas vidas. Muitas vezes até mesmo colocamos a culpa na inveja do outro, no olho gordo do parente e em tantas outras coisas que não têm absolutamente nada a ver com a nossa vida.

Mas somos especialistas em autossabotagem, e é esse o maior basta que precisamos dar. Um basta em nós mesmos. Precisamos parar de criar fantasmas em nossas mentes. Precisamos dar um basta nos pensamentos que invadem nosso dia a dia e trazem apenas a sensação de que tudo vai dar errado. Precisamos dar um basta em tudo aquilo que acreditamos ser real e na verdade não é. É só uma criação da nossa ilusão.

Muitos de nós não conseguem evoluir a partir de certo ponto porque bloqueamos nossa própria evolução.

Temos medo de sair daquele quartinho fechado onde nos enfiamos e colocar a "cara no sol". Porque há muita vida nos esperando, mas temos medo do que ela pode oferecer.

Afinal, parece mais seguro deitar-se no quarto do que sair lá fora e ver o sol brilhar, a vida acontecer e tanta magia ser trazida para nós.

Parece mais seguro ver as coisas dando errado. Parece mais seguro sofrer do que ser feliz, não é mesmo? Mas e se você começar a ter uma vida mais leve? E se conseguir fazer aquilo de que gosta, criar condições para ter mais magia, mais criatividade, mais leveza no seu dia a dia?

Confesso que a vida acontecendo é um fluxo.

Como um rio.

E teimamos em ficar parados, empacados, para não sair do lugar. Essa é a maior causa do nosso sofrimento. Ficar parados sem conseguir desempacar.

A natureza é sábia. Repita isso a si mesmo.

E essa sabedoria é universal. Ela faz com que a gente atraia os melhores acontecimentos para nossas vidas. Faz com que tenhamos uma vida plena em saúde, dinheiro, tudo aquilo que nos faz bem e nos faz progredir.

Dar um basta nessa perseguição mental exige que você tenha consciência de que é o próprio obsessor.

Não há ninguém fazendo mandinga contra você. É você quem cria os pensamentos ruins e os alimenta a maior parte do tempo. É você que deixa seu inconsciente guiá-lo sem perceber como a sua força é muito maior e mais poderosa.

Teimamos em criar condições para reclamar. Teimamos em fortalecer crenças que nos derrubam. Teimamos em evoluir. Mas a evolução pede passagem. Não podemos conspirar contra nossa evolução de maneira tão consistente. É preciso enfrentar o medo de crescer e entender que a vida é uma grande brincadeira que só exige que sejamos crianças e brinquemos com ela.

Se observarmos a vida desta maneira, não levaremos tanto sofrimento para casa, não despejaremos tanto rancor nas pessoas, não teremos tantas preocupações sobre coisas que jamais acontecerão, não seremos tão inconvenientes e pessimistas.

Porque podemos ter tudo aquilo que desejamos se dermos um basta nessa mente que reproduz coisas que estão ali desde a infância. Mesmo que seu pai e sua mãe já tenham evoluído, essa imagem introjetada deles em sua mente cria esses infortúnios e o faz acreditar que a vida não é lá essas coisas – nem pode trazer tanta coisa boa assim.

Entenda de uma vez por todas: este livro é um tratado para que você pare de se diminuir. Para que você pare de aceitar pouco da vida. Para que pare de acreditar em todas as historinhas que lhe contaram sobre falsas limitações.

Somos deuses. O Criador nos fez assim. Temos potência, magia, tudo dentro de nós, e capacidades infinitas se tivermos fé em nós mesmos. Nada pode nos abalar se estivermos conectados com esse divino dentro de nós.

Conforme você entende isso, consegue observar os seus passos, se estão de acordo com a criação ou indo contra ela. Crescer pode trazer medo, mas você deve romper com tudo aquilo que tenta deixá-lo estagnado, que tenta fazê-lo parar, que tenta dizer no seu ouvido que não dá. Tudo é possível. E a vida está aí para nos mostrar isso.

É possível criar negócios milionários, inventar novas fontes de renda, estar feliz e bem-sucedido fazendo o que ama. É possível pagar as contas em dia, ter ajuda, ter saúde para dar e vender. É possível ter horas de descanso e lazer mesmo sendo produtivo. É possível que você seja tão feliz que até tenha vontade de chorar de felicidade.

Porque a vida está aí para atender tudo aquilo que desejamos. Nossos pensamentos, sentimentos e vibrações vão atraindo uma série de eventos que em cadeia formam uma sucessão de acontecimentos extraordinários.

Não há sentido em se limitar em uma concha enquanto sua vida pede para se escancarar dentro de você. Não há sentido em se sabotar tanto enquanto o mundo quer vê-lo brilhar.

Você nasceu para brilhar.

Não fique mais nos escombros da vida, nem se sentindo fraco ou incapaz de seguir adiante.

Quando quiser fazer algo que ninguém que conhece tenha feito, seja o primeiro a tentar.

Quebre as correntes todos os dias.

Seja a prova viva de que Deus existe, que o milagre é diário, que temos poder para fazer tudo aquilo que desejamos.

Seja um milagre todos os dias.

Capítulo 32

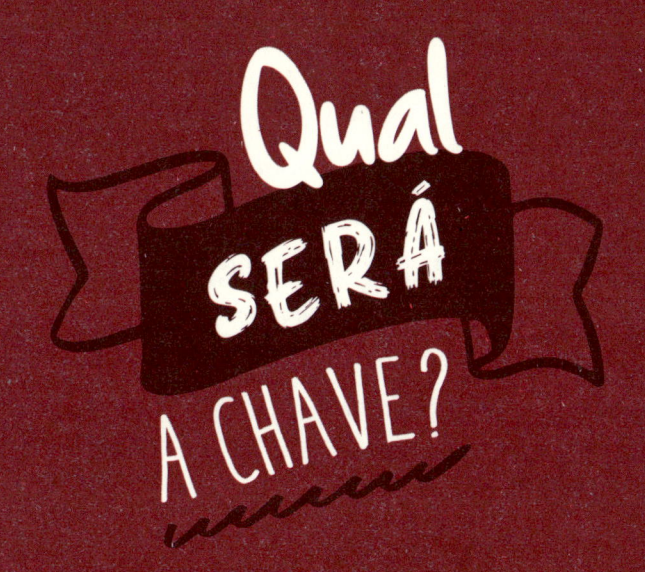

Qual SERÁ A CHAVE?

> "Nunca existiu uma pessoa como você antes, não existe ninguém neste mundo como você agora e nem nunca existirá. Veja só o respeito que a vida tem por você. Você é uma obra de arte — impossível de repetir, incomparável, absolutamente única."
>
> - Osho

Quando tomamos uma decisão, muitas vezes ficamos nos perguntando: "Será que isso vai dar certo mesmo?". E aconteceu comigo quando decidi escrever este livro em tempo recorde para entregar para a editora. Seriam dias e noites pensando, elaborando texto, escrevendo, e uma pulguinha veio atrás da minha orelha dizer: "Mas e se não der tempo? E se eu não tiver conteúdo suficiente para isso?".

Esse "e se" mina nossas forças quando damos ouvidos a ele. E podemos substituí-lo por "e se der certo?". Acreditar é uma mudança de chave. Um minuto que temos para dar força para a nossa fé e empurrar a possibilidade e a oportunidade para o nosso colo. Por que tanta gente tem oportunidades e as agarra? Porque essas pessoas tiveram coragem e não ficaram perguntando "e se"?

Por isso, hoje, mesmo quando o bichinho do medo me persegue, sei que dou conta. Digo para mim mesmo e para as pessoas com as quais trabalho que aquilo é possível e que nada irá me deter até que eu consiga realizar meu objetivo.

O frio na barriga é um componente que não me deixa em paz, mas sei da minha capacidade, vejo tudo por que já passei, minha história de vida, o que construí até aqui e penso: "Posso, sim".

A partir de então, as coisas mudam. Porque paro de tremer na base e passo a crer. E a minha fé inabalável move montanhas e cria possibilidades para que eu siga adiante. Ela abre caminhos, portas, janelas, e a vida vai ficando tão fácil que eu observo como Deus é bondoso quando acreditamos na sua força infinita.

Você pode estar num momento de dúvida. Pode estar se questionando, mas que tal dar um basta nesses questionamentos todos e passar a acreditar? Passar a ter fé?

A fé é um combustível poderoso que nos transforma, nos transporta, que nos abastece e faz com que tenhamos mais capacidade para conquistar tudo aquilo que queremos. Sem fé ficamos à mercê de muita coisa. Como barquinhos de papel no meio de um mar revolto. Ter fé é uma decisão. E a partir dessa decisão bancamos nossas escolhas e crescemos. Crescimento nada mais é que a vida acompanhando a nossa coragem.

Se estamos com medo, podemos procurar as respostas dentro de nós; por mais que seja mais fácil largar tudo e fugir correndo, quando temos fé deixamos o melhor surgir. E todos somos absolutamente livres para escolhermos o próprio caminho. Só que sempre é hora de criar novos. Sempre é tempo de levantar-se, mesmo depois de muitas quedas.

Não devemos permitir que as derrotas nos desencorajem e limitem nossos movimentos. Quando isso acontecer, devemos confiar na nossa certeza interior e andar com os dois pés firmes no chão, entendendo que temos força para encarar tudo que surgir diante de nós.

Sem fé não podemos sair do lugar, porque ela traz confiança e preenche nosso coração. É preciso agir e aprender a voar, sem ficar ancorado às maneiras tradicionais que nos prendem. Tudo de que precisamos é de entusiasmo e de esperança para podermos nos apropriar do nosso futuro.

Nesse processo, muitos ficam tensos e esquecem-se de relaxar. Não conseguem desligar a mente, que teima em ficar no controle de tudo. Mas, quanto maior a pressão da mente, menor a fluidez da vida.

Tudo deve ser feito com simplicidade e alegria, para que possamos conquistar nossos objetivos. Viver a vida com leveza é acreditar na capacidade infinita do Criador de nos prover. A maior resistência vem de dentro de nós mesmos.

Esqueça a palavra medo, doença e sofrimento. Não fique buscando picuinha para brigar com a vida. Imagine que hoje é um caderno em branco e vamos recomeçar tudo. A partir de hoje teremos a oportunidade de fazer deste momento o momento da sua vida.

Comece a viver agora, trace as coisas que quer viver. Esqueça tudo que aprendeu e crie novas perspectivas a partir do amor, da alegria, da felicidade, de tudo que quer para si. Crie sonhos, seja uma criança novamente com toda aquela vontade de viver, de encontrar encantos pelo caminho, de se alegrar com as coisas boas, de ser feliz.

A vida é um encanto. Não precisamos fugir desse deslumbramento, da alegria, de tudo que ela nos proporciona. Precisamos reconhecer que ela nos dá recursos o tempo todo, e, se abrimos os olhos para isso, aceitamos uma condição cada vez melhor – e ela vai trazendo cada vez mais daquilo que queremos.

Se você se abre para o amor, a vida lhe traz mais dele. Se abrir seu coração para a felicidade, a vida vai lhe trazer mais felicidade. Se estiver pronto para os projetos novos, ela vai fazê-lo se encantar cada vez com mais coisas a serem conquistadas.

Não se perca nos medos, nos fantasmas, nas crenças do passado. Encante-se com tudo de maravilhoso que pode lhe acontecer e completá-lo.

Receba AS BENÇÃOS DA VIDA. E vibre amor.

Porque, se você estiver disposto a receber tudo que o Universo está pronto para lhe dar, as bençãos serão cada vez maiores, e a cada dia você vai ter mais motivos para sorrir.

Observe uma criança. Ela não tem medos do que pode acontecer naquele dia. Ela simplesmente vive, sem pensar no amanhã. Ela se joga diante da vida e acredita que terá um dia cheio de possibilidades. Ela cria a felicidade dela a cada momento.

Seja capaz de voltar a ser essa criança que acredita na mágica da vida, que tenta, que cai, levanta-se, sabe que pode ser o que quiser, quando quiser, e entende seu próprio mecanismo de estar viva.

Sem fé, a vida é sem sentido, porque você precisa dessa comunhão com alguma coisa que o nutre espiritualmente.

Por isso, cada pensamento pode ser uma oração, e por meio dessas orações você pode agradecer o que está prestes a receber.

Orar é conversar com o Divino, conversar consigo mesmo, é liberar os pensamentos de amor e afeto para que tudo conspire a seu favor.

É escutar a si mesmo em voz alta e dizer que os pensamentos podem ser positivos e construtivos, reconhecendo que a decisão de transformar a sua vida é única e exclusivamente sua.

O pensamento positivo pode abençoar sua vida, e a cada minuto você pode decidir entre fazer um dia maravilhoso ou conspirar contra a própria vida. Pare de criar desapontamentos, de querer controlar todos os acontecimentos e ficar ruminando os problemas. Tudo tem solução, e o Universo sempre traz as melhores soluções quando estamos alinhados com aquilo que desejamos.

Os degraus, os medos, devem ser entregues, e a confiança deve vir de um estado de certeza interna inabalável. Mas, para isso, é preciso se esforçar e pensar positivamente, pois o crescimento vem quando estamos dispostos a mudar.

À medida que nos esforçamos conscientemente para receber as graças que vêm da vida, entendemos o quanto somos abençoados e podemos mudar nosso destino. Para isso, é preciso criar o mecanismo da gratidão, que é uma das maiores chaves para abrir as portas da prosperidade, da felicidade, do amor. É dele que vamos falar a seguir.

Capítulo 33

AGRADECER para TER

> "Sempre permaneça aventureiro. Por nenhum momento se esqueça de que a vida pertence aos que investigam. Ela não pertence ao estático; ela pertence ao que flui. Nunca se torne um reservatório, sempre permaneça um rio."
>
> — Osho

Assim que nos colocamos em posição de gratidão, apreciamos o que a vida tem de melhor e paramos de focar tudo que não queremos. A gratidão abre portas, ela nos faz apreciar as maravilhas da vida, tira aquela nuvem cinza de cima de nossa cabeça e cria um filtro rosa dos sonhos que muda toda a nossa perspectiva de vida.

Não é ser bobo e simplesmente não saber o que precisa ser mudado ou criado diferente. Ser grato não é isso, é ser generoso. Com você mesmo e com a vida. Quando somos gratos, damos uma tonalidade diferente à vida. É reconhecer aquilo que temos sem entrar na frequência do desprezo.

Deixamos de nos mostrar secos e frágeis. Passamos a incorporar novas atitudes no dia a dia e mudamos um pouco aquele jeito de enxergar tudo que não deu certo, para mudar a perspectiva. Começamos a apreciar as coisas boas, paramos de nos preocupar com o que tememos e dissolvemos as amarras que nos prendem naquele círculo vicioso de que "tudo sempre acontece pra mim".

É mais ou menos como parar de andar em ponto morto e ir para a frente de uma vez por todas, sem medo de explorar a vida, deixando que tudo seja excitante e que a esquina que nos espera nos traga mais daquilo que agradecemos.

Viver é uma aventura, e devemos nos entregar a essa aventura sem medo, porque é possível se maravilhar com o que cada dia traz. É possível agradecer, ao invés de desperdiçar tempo com descrenças. É possível dar um basta nos pedidos de socorro e elevar seu pensamento sem ficar preso em fantasias de que o pior pode acontecer.

O futuro não é catastrófico. Pelo contrário. A vida é cheia de perspectivas maravilhosas, milagres, surpresas, e, quando estamos em paz e confiantes, criamos cada vez mais desses milagres, dessas emoções, porque estamos sintonizados com o Divino e prestes a criar algo novo.

Nada é criado se estamos com um pé lá e outro cá. Porque ou confiamos ou desconfiamos. Não existe meio-termo para a existência.

Por isso a gratidão é uma das maiores fontes de conexão que nos transformam e nos ligam com uma ponte que nos transporta para além daquilo que sabemos.

Paramos de focar a dor e focamos as maravilhas, paramos de nos prender ao medo e criamos possibilidades de crescimento. Paramos de focar aquilo que pode nos interromper e observamos quantas novas oportunidades surgem a cada dia quando estamos de bem com nós mesmos.

Quantas pessoas você conhece que estão dia após dia cavando a própria cova? Que estão vivendo esperando o momento da própria morte? Buscando doenças, procurando falências, esperando que algo aconteça de pior para que comprovem suas teorias de que a vida não é boa? Aposto que muitas pessoas – talvez até você mesmo – podem ter vivido assim em algum momento.

E acredito que é preciso escutar os sons do Divino dentro de você.

Escutar essa inspiração, essa voz de que as coisas podem dar certo, entrar no fluxo de que nada pode atrapalhar sua felicidade e perceber que esse momento de expansão pode transformar sua existência.

Agradecer é confiar na existência de um Universo bondoso. É estar disposto a colaborar com o Universo e expandir a mágica que nasce com ele todos os dias. É acelerar sua evolução, criando motivos para ser mais alegre, certificando-se de que você está na vibração que cria milagres.

A sua vibração é exatamente a resposta daquilo que você pensa e sente. Ela pode criar diversão, amor, expansão, sorrisos, entusiasmo, ou deixá-lo num estado de catalepsia, como se a vida estivesse estagnada...

Elevar a própria consciência é perceber que existe um jeito de se viver plenamente o presente, e isso pode ser excitante. Você pode rejuvenescer quando estiver nesse estado de paixão pela vida. Pode ficar mais criativo, sintonizado com a mente universal.

Procure a felicidade que flui pela vida e coloque em prática cada conselho que eu trouxe neste livro. Há muita coisa a ser feita, e devemos canalizar a energia na direção desejada, e não a desperdiçar dispersos em mil atividades que não nos agregam nada.

Quando estamos dispostos a entrar na engrenagem da vida, ela nos devolve amor, o Universo percebe que temos tanto a receber e transbordamos e recebemos na mesma intensidade. Paramos de reter.

Quando entendemos que ficar guardando dinheiro com medo de gastar é apenas um jeito de segurar que chegue mais para nós, paramos de fazer isso e confiamos no fluxo da vida, assim como dizia o Antigo Testamento que aqueles que atravessaram o deserto confiaram e tinham o maná de cada dia. Só que, quando eles pararam de acreditar e agradecer pelo maná – e passaram a guardar para o dia seguinte –, ele apodreceu.

Por isso, agradeça o seu maná de hoje, abra espaço para mais, desfrute dele sem medo de perder aquilo que tem e deixe tudo atravessar você. As emoções boas e as ruins. Porque, à medida que você solta, elas vão embora, você passa a viver no fluxo e nada mais vai lhe faltar.

Viva a vida com responsabilidade, mas não carregue o peso dessas responsabilidades. Você é capaz de tudo. Peça e receberá. Peça auxílio divino, peça aquilo de que precisa, e o Céu se desdobrará para atendê-lo.

Encare a vida com leveza, com amor, sem semblante entediado ou cansado. Seja aquele que distribui bênçãos, não aquele que está sempre mendigando afeto. Não seja exigente para que o outro lhe dê algo. Sirva a todos que estiverem ao seu redor, e isso fará com que sua vida tenha mais daquilo que você pede e necessita.

A falta de esperança, de luz, traz um comportamento "morno", e a pessoa fica sem expectativa de vida. Pode até ser ativa, mas cumpre tudo de maneira arrastada. Para ter vitalidade, é preciso observar que os ciclos de tristeza e sofrimento podem ficar para trás e é seguro ser feliz. Conforme você percebe que só é possível transmitir luz ao outro se existe luz em você mesmo, entende que, seja qual for a situação em sua vida, deve existir esperança.

E essa esperança é o resgate da sua força interior, de Deus dentro de você.

Com gratidão temos mais forças para resolver nossos conflitos internos, abandonar o desespero e os velhos conflitos e valores que colaboram para nosso sofrimento.

É preciso que nasça dentro de você uma nova consciência. Seus antigos padrões estão sendo rompidos, e nesse momento – entre a perda e o rompimento – a **gratidão** faz com que as velhas estruturas mentais se dissolvam e você finalmente se liberte para a nova etapa da sua vida.

Dessa forma, você se permite FLUIR.

A gratidão vira hábito, e a prosperidade, companheira certa.

Capítulo 34

SENTIR BEM A SUA COMPANHIA

> "A vida é sobre a gestão da energia. Onde você coloca sua atenção é onde você coloca sua energia."
>
> - Joe Dispenza

Quantas pessoas você conhece que são capazes de ficar sozinhas sem fazer absolutamente nada?

Hoje temos os transtornos de ansiedade, mas acima disso, ou melhor, numa camada abaixo, há pessoas que não conseguem sustentar o vazio da própria presença. Elas ficam buscando o que fazer, a companhia de qualquer um, pois não conseguem estar com elas mesmas e precisam sempre compartilhar o que estão sentindo e como estão com os outros, para atrair atenção.

Existe uma geração que está sendo infantilizada e abusada mentalmente pelas redes sociais, que não deixam sua mente descansar. O resultado é que elas querem estar ligadas o tempo todo. Essas pessoas muitas vezes se sentem impotentes com o próprio destino e ficam vendo a grama do vizinho. Sentem ressentimento e mágoa porque não estão felizes o suficiente e esquecem do senso de responsabilidade. Esquecem que precisam se libertar delas mesmas para sentir alegria e plenitude na vida, mas como neutralizar esse sentimento e restabelecer um sentido à vida? Como aliviar essa sensação de considerar que é uma vítima do destino? Tais pessoas geralmente relutam em admitir melhorias em suas vidas.

É como se o casulo estivesse sempre pronto para ser aberto, mas elas não conseguissem sair de dentro, porque temem bater as asas que ficaram durante tanto tempo ali dentro espremidas. Com uma postura negativa, acabam atraindo tudo de ruim que tanto temem. Quem está no estado negativo raramente se sente bem na própria companhia. E aí começa um círculo vicioso. A pessoa perde a fé e a esperança, acha que não vale a pena continuar lutando, desiste e se torna aquele indivíduo pesado e fatalista.

Claro que não é todo dia que acordamos renovados, acreditando que só o melhor poderá nos acontecer, mas você pode ser alguém com brilho, sem apatia, sem desconforto, com felicidade e vontade de viver. Conheço muitas pessoas que já começam o dia cheias de tensões, não descansam direito, não cuidam do próprio corpo, da alimentação, do pensamento, e se mantêm sempre num padrão baixo, como se fosse impossível progredir na vida. Elas mesmas amarram as correntes nas próprias pernas.

O que quero que você entenda é que basta reconhecer e aceitar tudo que já está acontecendo à sua volta. Se você começar a focar nas maravilhas que estão ao seu redor, agradecendo por tudo isso, vai conseguir atrair cada vez mais situações positivas.

Eu já disse e repito: **é seguro ser feliz.**

Você não precisa ser infeliz para honrar a história de seus antepassados. Sua vida pode e deve ser divertida, cheia de contrastes, amores, e você pode sentir calor, alegria, liberdade, e respirar tudo isso harmoniosamente.

O segredo para que tudo prospere em sua vida e se torne mágico é simplesmente querer que tudo funcione, fazer as coisas com o coração, mudando a sua maneira de enxergar tudo, tentando trazer um aspecto mais positivo às coisas.

Tudo está em nossas mãos. Mas será que estamos fazendo algo a respeito do que realmente importa em nossas vidas? Nossos valores estão conectados com o que queremos? Conseguimos nos aquietar e sentir o que nosso coração quer dizer?

Nossas desarmonias da alma trazem sentimentos negativos, e existem maneiras simples de liberar as energias curativas que emanamos dentro de nós. Podemos cuidar da nossa harmonia interior, elevando a nossa vibração e abrindo nossos canais para a recepção de uma verdade espiritual que nos alimente.

Expurgar os erros que nos causam mal não acontece do dia para a noite, mas a cura consiste em tentar dia após dia elevar nossa consciência para que possamos nos aproximar de nossa alma. É ela quem nos traz paz e alivia nossos sofrimentos. Ela que cura nossas moléstias mais profundas e nos traz calor, alegria e felicidade interior.

Quando estamos conectados com nossa essência, nosso estado emocional é influenciado pelo nosso bem-estar físico. E pensamento positivo, por si só, já pode nos ajudar a curar doenças e promover o bem-estar. Além disso, pensamentos negativos causam doenças físicas e emocionais. Por isso, além de ser bom para sua mente, é bom para seu corpo ter pensamentos firmes, porque eles fortalecem seu sistema imunológico.

Saúde física e saúde emocional estão intimamente ligadas; quanto mais feliz você procurar ser, trazendo momentos alegres para sua vida, mais terá uma mente saudável e um corpo equilibrado. Para isso, contudo, é preciso se sentir bem na própria companhia. E é difícil fazer isso quando você alimenta demais o medo e se esquece de ter fé.

A fé, como eu já disse, deve ser vivida diariamente. Só assim você consegue viver a vida com o êxtase que ela pode lhe proporcionar. Muitos não conseguem sustentar estados de alegria interior durante muito tempo. Sentem-se deslocados porque estão habituados com o padrão vibratório da tristeza, do medo, do rancor, da mágoa. Quando as coisas começam a acontecer na vida daquela pessoa, ela trava e não se dá o direito de desfrutar daquele momento bom, daquela conquista, daquela vida tão magnífica que se apresenta diante dela.

A questão é que muitos de nós não ficamos bem sozinhos porque temos medo da nossa mente. Ela que cria problemas, medos, situações absurdas que nos trazem ansiedade e todos os tipos de desequilíbrios.

As pessoas altamente funcionais são aquelas que conseguem estabelecer relações com os outros, mas sabem administrar responsabilidades de adultos, refletir sobre o que foi bom e ruim e motivar-se a encontrar a própria cura.

Temos nossas defesas. Elas nos protegem de muita coisa, mas devemos entender que existe uma vida esperando lá fora. Uma vida que precisa de você, da sua luz, do seu brilho, da sua maneira de enxergar o mundo e entendê-lo. Quando nos sentimos bem com nossa própria companhia, conseguimos extrair de dentro o que temos de melhor e emanar para o mundo apenas coisas positivas, sem contaminá-lo com palavras e pensamentos ruins.

É olhar com vontade para a vida e entender que dá para ser feliz. Que não temos razão para nos esconder da vida, quando o Criador nos deu tantos presentes para desfrutarmos no dia a dia. Quando temos tanta abundância, quando temos tantas belezas sendo desvendadas dia após dia diante dos olhos.

Tente sustentar ficar sozinho em sua própria companhia. Sem buscar distrações para a mente. Observar o movimento do seu corpo, sua respiração, a maneira como você é capaz de entender a si mesmo e acolher as próprias emoções e sentimentos. A partir desse acolhimento gentil, escolha ficar com a parte boa das emoções. Escolha a alegria, a felicidade. Elimine os tons acinzentados e tente ficar de bem com a vida. A medicação para a depressão muda a química do cérebro, da mesma forma que você pode mudar sua química cerebral pensando em coisas felizes e vivendo experiências alegres.

Por isso, coloque segurança dentro de si, não no outro. Dessa forma, vai conseguir se sentir bem com a própria companhia – sem precisar de muletas para sair andando. Precisamos de pessoas. Precisamos uns dos outros, mas precisamos sobretudo de nós mesmos em nossa melhor versão. Felizes, cheios de energia, vibrantes e com vitalidade para dar e vender.

Crie momentos seus nos quais possa desfrutar da própria companhia, e cumpra um contrato consigo mesmo. Você cumpre tantos contratos com outras pessoas. O que falta para cumprir aquele que mais tem falhado?

Capítulo 35

Bem antes DA OCUPAÇÃO

> Crê em ti mesmo, age e verá os resultados. Quando te esforças, a vida também se esforça para te ajudar.
> - Chico Xavier

Já falei bastante por aqui sobre pessoas que sempre querem se sentir doentes para serem cuidadas. Essas pessoas, ao invés de receber cuidado, estão famintas pela preocupação do outro. Não basta que recebam atenção: elas querem que as pessoas se preocupem com elas, e, mesmo quando não estão doentes, criam maneiras de deixar aqueles que estão no seu entorno preocupados. Tais pessoas não conseguem viver o cuidado. Elas associam cuidado com preocupação, provavelmente porque na infância tiveram uma relação com os pais em que só recebiam atenção e cuidados quando estes estavam preocupados com elas. Então, ficam viciadas nesse ciclo de autodestruição.

Não percebem que criam problemas para receber atenção e ter preocupação de quem as cerca.

Certa vez uma amiga me disse: "Mas se eu ficar bem, o que vai acontecer?". Ela sustentava a crença de que ninguém mais iria "se preocupar" com ela. Só não entendia que o amor e o afeto não estão relacionados à preocupação.

Uma tia outro dia terminou de subir uma escada e lá de cima disse bem alto: "Não aguento mais nada, como estou doente!". Na vida está tudo bem de verdade para quem quer isso.

Quem quer ficar bem procura uma maneira, e sempre encontra, de tornar as coisas melhores. Algumas pessoas insistem, você diz "está tudo bem" e elas respondem "está não!". Sem perceber, estão confirmando a maldade, a doença, a negatividade em suas vidas.

Faça de hoje o seu dia de libertação! Nosso lema você já sabe: "EM MIM BASTA!".

Tudo bem, há sua história por trás de tudo, porém, é chegada (passada até) a hora de dar um basta!

Por exemplo, uma pessoa que só recebeu afeto quando teve seus pais ali diante da cama, quando ela estava com febre, acaba nutrindo a percepção de que só merece cuidado quando está doente. Assim, quando quer ser cuidada, arranja uma maneira negativa de atrair a atenção dos demais. Desse jeito, ela vai se sentindo cada vez pior – e cada vez mais dependente dos outros. Principalmente porque não sabe ser cuidada. Ela sabe atrair a preocupação dos outros e nem entende que pode existir afeto gratuito nas relações humanas.

Tenho uma aluna que, quando "abusava" da terapeuta nos finais de semana, mandando mensagens pedindo qualquer tipo de orientação, levava alguma caixa de bombom ou premiação para ela na segunda-feira. Certa vez, a terapeuta perguntou por que ela fazia aquilo, e ela disse que era um agradecimento. Assim, cortou-se um ciclo quando a profissional falou: "Você merece ser cuidada, merece atenção e carinho. Não precisa se sentir em débito comigo quando faço isso".

Ela só sabia retribuir às pessoas que lhe davam qualquer tipo de cuidado, porque não sabia como era ter esse cuidado sem "precisar" dele. E criava maneiras de sempre "precisar" das pessoas para poder se relacionar com elas. O resultado é que acabavam se afastando dela, porque ela sempre sugava a energia e atenção de todo mundo.

Reclamava dizendo que só tinha "atenção paga", porque as únicas que cuidavam dela eram suas terapeutas. Além disso, vivia nos consultórios médicos, que era onde havia profissionais "cuidando" dela. Ela queria ser cuidada, logo, buscava ajuda em lugares que traziam qualquer tipo de cuidado. Inventava até doenças para poder receber a atenção dos profissionais.

Sabe a criança que só aprendeu fazer amizade na escola emprestando lápis de cor? Mais ou menos isso na vida toda.

Ela não conseguia se sentir bem, porque sentir-se bem, para ela, era sinônimo de não ter qualquer cuidado. Precisou de anos de terapia para desenrolar esse nó e parar de bloquear a própria felicidade, prosperidade, e ter a saúde plena, já que, ao se sentir bem, sentia-se abandonada e sozinha. Seu mecanismo de obtenção de cuidado era doentio.

Que seja hoje seu início do bem.

Para viver a vida que você quer, é preciso entender e pedir o que realmente precisa. Não adianta querer atenção, relações humanas saudáveis, se você está se conectando com uma vida doentia. Por isso, precisa ser honesto consigo mesmo e parar de fingir intenções.

Pergunte a si mesmo: o que eu quero? Isso está alinhado ao meu momento de vida?

_____

_____

_____

_____

_____

Precisamos, acima de tudo, honrar nossos limites pessoais e profissionais e investir em relacionamentos que importam para nós, que agregam e nos fazem crescer.

Para isso, a primeira coisa é parar de colocar seu valor na maneira como os outros o veem. É preciso pautar as decisões em seus valores, não nos dos outros. Dar um basta nessa sua mente que acredita que é preciso estar doente para ter cuidado é necessário, para que não tenha uma vida cheia de indisposições físicas e mentais.

Você pode ser feliz tendo momentos de alegria com as pessoas queridas que o amam. Não é preciso estar de mal com a vida ou até mesmo cheio de problemas para atrair a atenção de quem está por perto. Tente, pelo menos uma vez, fazer por você aquilo que gostaria que fizessem. Você vai observar que a mudança de hábitos trará uma nova perspectiva de vida. Não é apenas sobre ser uma pessoa que caminha com uma nuvem negra pairando sobre a cabeça, reclamando da vida. É ser alguém que eleva os outros seres humanos, que constrói junto, que cria possibilidades e faz com que todos se sintam bem uns com os outros.

É fazer com que as pessoas queiram estar em sua companhia. Desejem estar ao seu lado porque você emite uma luz própria, em vez de ficar roubando a luz de todo mundo o tempo todo. Em primeiro lugar, vale rever sua biografia pessoal e observar os momentos em que se sentiu inseguro e abandonado com seus familiares.

Observe como se portou para conquistar a atenção deles. Entenda que aquele comportamento era infantil e que não é preciso continuar reproduzindo aquele modelo.

Muitas vezes ficamos presos a comportamentos lá da infância que não agregam em nada, e simplesmente nos comportamos como crianças pelo resto da vida, sem perceber que podemos mudar os padrões.

Já vi pessoas angustiadas e tristes que trabalhavam em lugares com chefes que conseguiram diagnosticar os padrões de comportamento e investiram em tratamentos para seus colaboradores, porque eles sabiam que querer o outro bem é querer o bem para si próprio.

Quando fazemos o bem para quem está ao nosso redor, naturalmente emitimos um novo tipo de energia, de que estamos generosamente contribuindo para o equilíbrio de um mundo que anda tão desequilibrado. Hoje, tente observar também como se comporta com seus aliados e companheiros de vida. As pessoas que mais convivem com você. Com as quais trabalha ou se relaciona. Você está verdadeiramente comprometido com o bem-estar dessas pessoas? Ou simplesmente as procura quando precisa de algo?

Já vi gente que é tipo vampiro energético – um termo bem conhecido. Buscam quem está bem para vampirizar a energia e sugar tudo até que acabe. Quando aquele elemento vampirizado deixa sua energia, a pessoa vai buscar outra vítima para vampirizar. Entenda que esse comportamento apenas afasta as pessoas do seu convívio. Elas passam a repelir você, porque se sentem sugadas energeticamente quando você as procura. E não adianta sugar a energia do outro e depois dar presentinho para compensar: energia é vida. E vitalidade precisamos encontrar dentro de nós mesmos.

Portanto, dê um basta no seu comportamento doentio quando estiver carente de atenção e criar uma situação bizarra para atrair tal atenção para si. Se perceber isso no outro, já sabe, cuidado.

Capítulo 36

ALIMENTE SUA mente

> Tudo o que criamos de forma física deve ser criado no pensamento. Pensamentos em que focamos nossas mentes vão, com o tempo, se materializar. Evoluímos para nos assemelhar aos pensamentos nos quais mais nos detemos.
>
> - Napoleon Hill

Há pouco tempo, escrevi um livro infantil chamado *Alimente sua mente* – não sei se nesse momento em que você está lendo ele já foi publicado, mas com certeza no meu site você irá descobrir. Nesse livro infantil, falo como as crianças precisam aprender a nutrir a mente como quem nutre o corpo.

Nutrir a mente é alimentá-la com coisas boas, é construir diálogos positivos, é acreditar em felicidade sem dar bola para aquilo que você teme. É viver num estado de confiança.

Mas nem sempre as pessoas conseguem ser assim. E não conseguem porque não dão um basta nas reclamações dos vizinhos, na notícia trágica da televisão, nas desgraças contadas pelos pais, nas conversas que não agregam e nos relacionamentos tóxicos.

Se "em mim basta!", é hora de rever como está alimentando sua mente e de que maneira deseja alimentá-la daqui para a frente. Adianta ficar preso a velhos padrões, sem perceber que é necessário criar um novo jeito de viver? Adianta estar sempre ali querendo sair do lugar, mas lendo as mesmas coisas, conversando com as mesmas pessoas e assistindo às mesmas notícias que parecem apodrecer sua mente, ao invés de alimentá-la?

Quando ficamos atentos à qualidade dos nossos pensamentos, eles se tornam uma forma de oração. A nossa vida se torna uma constante oração de amor e agradecimento. Saiba que a vida é muito boa, mas ela é aquilo que você faz dela. Se você viver num estado de mente negativa, ela se tornará uma vida negativa. Se enxergar o bem em tudo, o céu fica mais azul, e sua vida fica preenchida de benevolências.

Aprender a amar a vida é transformá-la numa constante prece. Uma conversa com Deus, em que confiamos nele e fazemos tudo aquilo que está ali para o nosso progresso. Dessa maneira nosso coração se expande, e nos tornamos mais tolerantes e abertos sem tentar modificar tudo lá fora.

Apenas modificando a nós mesmos. Modificando nossa mente, mudamos tudo, porque passamos a adotar uma postura mais positiva em relação ao mundo. De nada adianta pregar coisas positivas se não vivemos aquilo que pregamos, se estamos presos a coisas que nos fazem mal, que nos deixam tristes, a mágoas ou quaisquer fantasmas que assombram dia e noite nosso inconsciente porque somos incapazes de visitar nossas sombras.

Deixe vir luz e cura para sua vida. Deixe que o alimento de sua alma seja o amor, as palavras boas, a alegria. Que haja fontes de alegria e constantes danças com o Universo, que quer preenchê-lo de bençãos, mas vê a porta da sua alma fechada com tantos medos enraizados.

Somos um depositório de coisas que não colocamos para fora. Deixamos ali as mágoas presas, as tristezas, as emoções não digeridas, e queremos preencher o copo contaminado com água pura. Para preencher um copo com água limpa, em primeiro lugar devemos deixar fluir e escorrer pelo corpo e espírito tudo aquilo que não tem mais espaço em nossas vidas. Depois disso, liberar perdão, falar com pessoas com as quais temos nossos entraves e criar oportunidades para novas pessoas entrarem em nossas vidas.

Além disso, não dá para ter a mesma vida se você costuma fazer as mesmas coisas de antes. Se está apenas atento ao que deu errado e teme o futuro.

O futuro é uma porta aberta cheia de maravilhas, cheia de amor. Mas que está esperando você dar um basta em tudo que lhe faz mal, para lhe apresentar novas possibilidades.

Entenda quantas glórias podem vir a você quando começar a alimentar mente e espírito com sentimentos positivos. Observe as borboletas no estômago, a vontade de viver, a paz de espírito, a confiança no futuro que tudo traz, que nos abastece de coragem.

Esqueça os medos das doenças, as tragédias que viu no jornal, as brigas em família. Plante aquilo que quer em sua vida para que aquilo possa ser semeado de maneira mais consistente.

Deus não quer que sua existência seja desagradável e triste. Ele planejou maravilhas para todos nós. Mas nos apegamos aos estados mentais de sofrimento e desamor. Nos apegamos ao que não funciona em vez de criarmos situações positivas e harmônicas.

Lembre-se de que, além de alimentar a própria mente, você poderá colaborar com o mundo operando uma mudança em seu coração. Assim, assuma uma responsabilidade perante a vida, e tudo começa a ser construído ao seu redor. Somos abençoados pelo simples fato de termos nascido, e podemos mudar com a intenção de ter bem-estar e alegria no dia a dia.

Dizem que tudo melhora com a prática, e quanto mais vivemos a vida, mais ela faz parte de nós. Não podemos permanecer estáticos. As amarras que nos prendem ao passado devem permanecer lá porque elas impossibilitam que tenhamos uma visão de futuro.

Seus passos podem ser hesitantes neste momento porque você tem medo de cair. Mas não importa quantas vezes caia, é hora de dar um basta nesse repertório de que é assim mesmo, levantar-se e seguir em frente com fé e coragem.

Não existe mais necessidade de sofrimento.

Não podemos ser como uma avestruz, que se esconde da vida debaixo da terra.

A realidade está aqui para nos trazer tudo de melhor. Basta recebermos tudo que temos direito. Basta entendermos que é seguro viver, que podemos alimentar nossos sonhos, ter consciência da nossa própria divindade, mudando nosso comportamento, que tem uma influência brutal no estado do mundo.

Olhe para o lado luminoso da vida e alimente sua vida com tudo que é bom. Acredite sempre que tudo acontece para o seu bem. Traga sua força inabalável para dentro de si e acredite que tudo acontece com a maior perfeição quando você está sintonizado com a vida. A chave para sua felicidade está dentro de você. Espere o melhor, que você atrairá o melhor para si.

Para isso, é vital alimentar bem a alma. Da hora em que acorda até a hora em que o sol se põe. Não deixe de alimentá-la com coisas positivas e alegres, com experiências, palavras, pensamentos e tudo mais que possa contribuir para que você se sinta mais e mais feliz.

Vou repetir quantas vezes for necessário: felicidade atrai felicidade. Se você estiver disposto a viver uma vida alegre, a química do seu organismo muda, e você naturalmente transforma seu estado vibracional, criando um campo magnético de alegria ao seu redor. Esse campo é como um ímã que atrai mais coisas semelhantes: alegrias, risadas gostosas, momentos de cura com amigos e tudo aquilo que você merece e deseja para sua vida.

O mundo até pode estar em uma confusão, mas você não está! O mundo pode até tentar convencê-lo de que nada vai dar certo, mas para você dá certo, sim!

Perceba como é um treino ter esse campo magnético – e isso pode ser de verdade algo muito especial. Começar novos desafios é sempre muito especial, porque o leva a lugares novos, como uma viagem.

Você arruma as malas, planeja, até idealiza onde vai tirar as fotos, mas precisa permitir que coisas boas aconteçam e o surpreendam. Até as ruins podem transformá-lo desde que as encare para o aprendizado. Até porque você já aprendeu que sofrimento vem das crenças negativas, vem das bobagens e loucuras que criamos para nós mesmos.

Não dando mais força para bobagem nenhuma, elas perdem a força, morrem. Aquilo a que você dá atenção, sim, cresce e se torna vigoroso.

Capítulo 37

EM mim basta!

> "Quando as pessoas acreditam que suas qualidades básicas podem ser desenvolvidas, os fracassos podem ser dolorosos, mas não as definem."
>
> - Carol Dweck

Parabéns por vir até aqui comigo.

Nenhuma linha que escrevi foi em vão.

Estamos num momento de grande evolução e aprendizados, e quero que saiba que, de tudo que falei aqui, o mais importante é a sua postura e atitude diante do mundo.

Não adianta ler um livro e deixar guardado na gaveta sem mudar nada.

Não adianta fazer de conta que não é com você e dar o livro de presente para sua mãe, achando que ela é a raiz de todo o mal.

Não adianta presentear a amiga porque acha que ela é quem precisa ler este livro.

Se este livro chegou às suas mãos, é porque você precisava dele.

E o que você precisa ouvir e internalizar a partir de agora é que é hora de dar um basta.

- Um basta nos pensamentos ruminantes
- Um basta nas crenças hereditárias
- Um basta nas pessoas inconvenientes
- Um basta nos relacionamentos tóxicos
- Um basta na sua amargura
- Um basta na sua insegurança
- Um basta nas pessoas que não agregam nada na sua vida
- Um basta na sua mania de querer agradar todo mundo

Em mim basta!

Coloque alguns "bastas" que você percebeu no meio desse trajeto que fizemos até aqui.

- _____
- _____
- _____
- _____
- _____
- _____
- _____
- _____
- _____
- _____
- _____
- _____
- _____
- _____
- _____
- _____
- _____

E em tantas outras coisas que falamos por aqui...

Dar um "em mim basta" é interromper um ciclo e criar uma nova geração de pessoas que fazem coisas diferentes de um jeito diferente. É criar um esquema de trabalho criativo, é criar os filhos de outra maneira, é entender que você pode parar de reproduzir modelos ultrapassados e fazer da sua vida uma nova história, muito mais gostosa de ser vivida.

Isso tudo quebra muitos padrões e o faz sentir uma sensação esquisita, como se estivesse traindo uma sociedade inteira adoecida pelo cansaço.

Mas você pode obedecer a si mesmo e dar um basta nesse discurso de que é preciso sofrer para sobreviver.

Não é preciso sofrimento, nem dor. É preciso dar um basta nessa maneira de enxergar o mundo. É preciso dar um basta na maneira de construir seu dia a dia para que ele fique apertado, ruim, triste e só lhe dê oportunidade de viver nos finais de semana.

É preciso dar um basta em tudo aquilo que drena sua energia e o consome.

Porque a vida é sua. O tempo é seu, e você precisa se organizar diante da vida para impor o seu ritmo nela.

Quem quer que você assuma novas demandas e crie um novo estilo é a sociedade, acostumada a estar doente, a estar sempre com o mesmo repertório. Mas você pode brilhar, pode usar as cores que bem entender em sua vida, nos seus dias, na sua história. Pode inclusive dar um colorido na vida de outras pessoas, criando possibilidades que elas nem imaginavam anteriormente.

Hoje na internet vemos as pessoas repetindo modelos de sucesso. Uma repete a outra, e todas repetem tudo. E assim nada novo se cria. Tudo se copia, tudo se replica. A criatividade e o fluxo são opostos à repetição de tudo que está sendo feito.

Para criar coisas novas, é preciso abandonar antigos hábitos, jeitos de viver, e deixar que a vida apresente as oportunidades. Acredite: elas surgem e o fazem crescer.

Existem milhares de jeitos de ganhar dinheiro, milhões de conexões que podemos fazer dia após dia se estivermos abertos e conectados com a divindade que existe dentro e fora de nós.

Seguimos nossa intuição, criamos um canal de abertura com o divino e dessa forma seguimos com uma vida abundante, sem tanta burocracia, problemas, coisas que sugam energia de quem está no caminho da vida plena.

Você faz sua vida.

E se basta em você, é hora de reagir.

Parar de ser reativo à vida e dizer a ela o que quer de verdade. Como você se porta diante dela faz toda a diferença.

De que maneira enxerga o mundo? Como quer construir as relações? Com base em que acredita que a vida vai mudar se você continua repetindo a mesma história de seus pais?

Vamos combinar uma coisa? Cada vez que vir algo saindo de sua boca, pensamento e comportamento que não esteja adequado ao que quer, dê um basta.

Não replique um modelo ultrapassado com seus filhos. Não repita palavras que ouviu de seus pais para seus filhos. Dê um basta em todas as crenças e pare de querer consertar quem está lá atrás.

Conserte a si mesmo, e tudo vai mudar.

Quem está ao seu redor vai perceber as mudanças. E quem está por aí vai entender como é poderoso mudar.

Você vai atrair uma nova energia, pessoas mais interessantes, situações cheias de aventuras.

Acredito que temos muita vida pela frente. Podemos viver até os cem anos se temos otimismo e esperança. E a qualidade dos nossos pensamentos interfere diretamente nisso tudo.

Se temos pensamentos e sentimentos felizes e conectados com aquilo que desejamos, a vida se torna cheia de cores e sabores.

Entenda: existem dificuldades, existem dias ruins, mas o que muda é o seu estado de espírito diante deles. Por mais desafiador que estiver, quando você muda internamente a maneira de encarar os fatos, reage de um jeito diferente, emite outra energia para o mundo e traz para si uma sucessão de eventos positivos inimagináveis que nunca passaram pela sua cabeça.

Nossa mente não é tão inteligente quanto a sabedoria da natureza e a sabedoria universal. Nosso corpo pratica homeostase o tempo todo, se regenera, nossas células, nossos órgãos. Tudo é perfeito. Mas queremos controlar tudo, queremos mandar no Universo e achamos que temos a solução para nossos problemas ao invés de entregarmos e seguirmos o fluxo, acreditando que tudo é perfeito.

Quando você der um basta nas crenças que estão minando a sua coragem de agir, terá munição suficiente para criar uma revolução. De pessoas que poderão entender de fato o que muda quando mudamos. Muda o ar à nossa volta, as relações. Tudo parece conspirar a nosso favor, e ficamos mais leves, até mais bonitos.

A mesma coisa quando estamos apaixonados. Tudo parece melhorar. E a paixão é uma coisa forte demais. É um sentimento bombástico que nos conecta com a potência da vida. Por isso, apaixone-se pela vida mais uma vez. Dê um basta em tudo que está tentando minar suas esperanças e crie uma vida mais saborosa e apaixonante, porque você merece, porque é seguro, porque tudo que o Criador quer é vê-lo bem e cheio de energia, vontade, brilho nos olhos e amor.
Não se curve diante das dificuldades. Entenda que elas serão apenas momentâneas e logo depois o sol volta a brilhar, como sempre brilhou, porque nuvens são passageiras e nos fazem refletir sobre nossos hábitos e comportamentos.

Você nasceu para brilhar, para ser alguém que cria algo que revoluciona o mundo, que traz benção para a família, que dá e transforma pessoas e coisas. Você é magia pura. Pode criar o que quiser a partir do seu pensamento, da sua vontade. Basta estar na mais pura sintonia de viver.

Neste momento em que deu um basta em tantas coisas em sua vida, pode estar sentindo que não consegue caminhar sozinho, que é difícil sustentar essa nova maneira de ser e agir. São novas pessoas que o cercam, novos desafios, e o maior deles talvez seja sustentar a si próprio com coragem de seguir adiante sem medo. Seguir com suas convicções, e não com as de seus pais. Seguir com suas novas amizades, com seu novo emprego, com sua nova maneira de ser e agir.

Seguir adiante requer um esforço consciente, porque você precisa acima de tudo querer. Querer interromper um ciclo – de abusos, de crenças ou do que quer que seja. Nessas horas você parece que vai desfalecer, tamanho o medo de seguir adiante sem as muletas que pareciam tão seguras e o sustentavam.

Mas você percebe que consegue caminhar sem a ajuda delas. E pode ser apavorante esse processo de entender que somos potências, somos humanos capazes de conquistar tudo que queremos quando estamos conscientes da nossa própria força.

Sustentar a si mesmo é provocar acontecimentos, e não apenas reagir a eles. É entender que podemos curar nossas dores se pararmos de colocar tudo para debaixo do tapete. É ter sabedoria e discernimento para concretizar aquilo que está ali nos trazendo novos sonhos. Tudo isso é dado ao ser humano como potência de viver.

Perdemos essa força interna conforme vamos dando ouvidos a tantas coisas que nos deixam acreditar que não somos capazes, que a vida é difícil ou tantas outras crenças que geram atitudes desanimadoras. Assistimos atentamente à maneira como nossos pais sobreviveram e acreditamos naquele jeito de funcionar. Esquecemos que eles tinham suas limitações e que, quando rompermos as barreiras, teremos nossa força, que nos foi dada no momento de nosso nascimento.

Sustentar a si mesmo é criar o seu roteiro. Ter fé no seu processo, entender a sua história como algo único que não tem relação com a história das pessoas que vieram antes de você. Elas fizeram a parte delas, e você fará a sua se viver em harmonia com seu eu interior.

Mas como sustentar a si mesmo num mundo onde nos criticam, nos fazem acreditar que tudo é ruim e quando estamos andando contra a manada?

Estar em si é estar no bem.

Estar no barulho do mundo é fugir de si.

Dar um passo de cada vez é vital para entender que você tem essa força – que nem acredita que tem dentro de si.

A segunda providência é parar de dar voz aos medos que você ainda alimenta e que o perseguem quando quer progredir e ser feliz. Eles minam sua capacidade de realização e não têm qualquer relação com a realidade. Trazem apenas insegurança para que você não desperte seu potencial máximo, dando um basta em tudo aquilo que o impede de agir.

Fazer a vida dar certo é seguir adiante com seus projetos. E, se conseguiu refletir em cada capítulo sobre tudo que estava precisando de um basta, entende como é o caminho a ser trilhado. Reveja os principais capítulos e pontos de atenção. A vida não muda da noite para o dia, mas, quando você estiver consciente de que quer chegar em algum lugar, o Universo se move para conspirar a seu favor. É uma força que não o deixa estagnar, que promove eventos sincrônicos um atrás do outro, como se você estivesse sendo preparado para algo maior.

Além de tudo, confie em Deus. Confie na força do Criador, que está ali sempre pronta para abastecê-lo de tudo aquilo que é necessário para sua evolução. Você precisa resgatar essa força, onde quer que ela esteja escondida. Procure-a.

Dar um basta nos comentários maledicentes, naquilo que as pessoas acreditam ser impossível, nos pequenos maus-tratos consigo mesmo. Tudo isso precisa ser interrompido – neste momento – para que você ganhe a autonomia de viver.

Existe um campo de possibilidades maravilhosas esperando-o em cada esquina. E é você quem precisa entender como caminhar até ali, sem se amedrontar, sem paralisar, sem ter tanto medo de cortar as amarras que o prendiam e que traziam a falsa sensação de segurança.

Conforme você se colocar no processo, ele vai se mostrando cada vez mais seguro, fluido, e traz tudo aquilo que você precisa, deseja e planeja.

Não fique tentado a olhar para trás e ver a trajetória de seus pais acontecendo em *looping*. Considere a oportunidade de mudar tudo aquilo que sempre lhe fez mal, de cortar de uma vez por todas as correntes e interromper essa avalanche de pensamentos hostis sobre a vida – que não correspondem à realidade.

Sustentar a si próprio é dar asas para que possa voar e fazer a sua trajetória sem considerar o que pode dar errado. Sem se aborrecer com o que o frustra, criando expectativas mais condizentes com a realidade. Não perca mais tempo com o que o intoxica, o que lhe faz mal, aquilo que o derruba, o deixa estagnado. Caminhe, confie no processo.

Basta de pessoas que foram limitadas pelas outras.

Basta de pessoas que foram limitadas por elas próprias.

Basta de desculpas. Não é mais tempo de regredir. A evolução o espera, e é você quem dá o tom do caminho que fará para que outras pessoas possam segui-lo.

Não tenha medo.

A natureza é perfeita.

O Universo está sedento de pessoas que queiram absorvem essa energia de amor, de paz, de abundância, progresso. E você não pode deixar essa felicidade e prosperidade escapar de suas mãos. Aprendi que tudo não passa de possibilidade até se tornar consciente.

Sonhe e faça as coisas se tornarem conscientes para você **SEM MEDO DE SER A OVELHA NEGRA.**

Toda família tem aquele elemento que é visto como "a ovelha negra". Mas essa ovelha representa o quê?

As ovelhas negras são aquelas que deram um basta e se libertaram das correntes de opressão de seus familiares.

Elas não perpetuaram crenças, não se adaptaram às normas pré-estabelecidas e foram na contramão de tudo aquilo que a família dizia ser "o certo".

Como verdadeiros revolucionários, quebraram as tradições familiares e criaram seu próprio manual de regras. Mas pagaram o preço.

Foram julgados, muitas vezes massacrados ou banidos de seus grupos iniciais.

A verdade é que tiveram a coragem de assumir a si mesmos e de cortar laços tóxicos, comportamentos limitantes, e criaram novos rumos em suas vidas.

Deveríamos agradecer às ovelhas negras que souberam ousar, renovar as crenças familiares, criar novas paixões, sonhos, e fazer com que desejos reprimidos viessem à tona.

O tempo todo nossa vida é uma orquestração de acontecimentos.

Se você experimentou o sofrimento e continuou nele, assim seguiu sua vida numa sucessão de sofrimentos e dessabores.

Porém, se experimentou o sofrimento, mas não deixou que ele fizesse morada em seu coração e em sua mente, se recriou seus pensamentos em gratidão, amor e abundância, a inteligência universal lhe respondeu na mesma frequência.

Você pode sempre criar um estado de felicidade e inspiração, você pode, sim, dar um basta naquilo que não lhe serve mais, tal qual uma roupa apertada, e ter coragem de seguir por novos caminhos!

O mais mágico de tudo isso é que sempre podemos recomeçar, não importa de onde.

WILLIAM SANCHES

Te espero nas redes sociais

🌐 www.williamsanches.com

▶ Canal William Sanches
Canal Lei da Atração Sem Segredos

📷 @williamsanchesoficial

f /williamsanchesoficial

♪ /williamsanchesoficial

Conheça os meus projetos

Livro **Método de Ativação Quântica YellowFisic:** Afirmações Mágicas de Poder

Livro **Destrave seu dinheiro:** Método Express de Cocriação de Nova Realidade Financeira

Livro **Cartas para Dormir Bem:** Reprograme sua mente de forma próspera com as afirmações positivas e viva com mais abundância.

CITADEL
Grupo Editorial

Livros para mudar o mundo. O seu mundo.

Para conhecer os nossos próximos lançamentos e títulos disponíveis, acesse:

🌐 www.**citadel**.com.br

f /**citadeleditora**

📷 @**citadeleditora**

🐦 @**citadeleditora**

▶ Citadel - Grupo Editorial

Para mais informações ou dúvidas sobre a obra, entre em contato conosco através do e-mail:

✉ contato@**citadel**.com.br